D0652773

L’AIGLE ENCHAINÉ

Derniers romans parus dans la collection Intimité :

SOMBRE MASCARADE
par Rachelle EDWARDS
UN REVE PERMANENT
par W.E.D. ROSS
EN SOUVENIR D'ELIZA
par Charlotte MASSEY
L'ŒIL DU DRAGON
par Jennie MELVILLE
SARAH
par Bryan FORBES
UN MARIAGE COMPROMETTANT
par Freda M. LONG
LE FACTEUR OMEGA
par Patricia JOHNSTONE
SOPHIA B.
par Laura Rose
SOLSTICE
par Cillay RISKU
LE BRISEUR DE CAGES
par Christine HERRING
LA VALLEE DES CORBEAUX
par Nancy BUCKINGHAM
CLAIRS-OBSCURS
par Kay STEPHENS
UNE FEMME VENUE DE LA MER
par Philippa CARR
DEMAIN, QUE SIGNIFIE DEMAIN ?
par Anna GILBERT
LES TROIS BELLES ET LA BETE
par Lois PAXTON

A paraître prochainement :

SUR LES RUINES DE NOS VIES
par Margaret MAYHEW

Rona RANDALL

L'AIGLE ENCHAINÉ

(*The Eagle at the Gate*)

Roman traduit de l'anglais
par Pierre Nicolas

PUBLICATIONS EDITIONS MONDIALES
2, rue des Italiens — Paris-9e

ISBN N° 2-7074-2419-6

CHAPITRE PREMIER

Dès que j'eus posé les yeux sur le château et le parc du Bois de l'abbé, rien ne put me distraire de mon obsession. Je ne pouvais rien contre ce besoin instinctif de m'identifier avec ce domaine de rêve. Un besoin né peut-être inconsciemment d'une aspiration à la sécurité que symbolisait pour moi la vie des châtelains du Bois de l'abbé : le besoin d'une stabilité que m'avait toujours refusée, que me refuserait toujours le monde du théâtre dans lequel j'avais grandi.

Sur le moment, je m'étais dit que c'était simplement pour nous une diversion, une vision d'un monde plus élégant, passionnant, auquel n'accédaient jamais ces baladins que nous étions en cette année 1902, condamnés à monter éternellement nos tréteaux dans toutes les provinces du Royaume-Uni.

Mais nous avions, partout, un public fidèle, dont il fallait bien reconnaître que le noyau était la cohorte des admiratrices de Charles Coleman. Je comprenais fort bien que ces femmes fussent séduites par le profil célèbre de mon père et le son grave de sa voix. Ses dons physiques justifiaient ce prestige, cette idolâtrie. Mais son talent me paraissait toutefois mériter une admiration plus authentique. Quant à lui, il ne désirait rien d'autre autant que d'être aimé. De l'amour, ma mère lui en avait donné, généreusement. Quand elle était morte d'une pneumonie, j'avais naturellement essayé de combler au mieux le vide que cette absence avait laissé dans son cœur.

Il ne s'était jamais remarié. Aucune femme n'aurait pu vraiment remplacer ma mère dans son cœur et dans sa vie. Il n'y avait eu qu'une Petronella au monde, pour lui.

Ma grand-mère maternelle devait avoir été très romanesque pour baptiser ainsi sa fille du prénom de l'héroïne qu'elle préférait dans la littérature de son époque romantique. Ma mère, à son tour, avait voulu me donner un nom inhabituel, et elle avait fixé son choix sur celui d'Aphra en déchiffrant une plaque commémorative encastrée dans le sol dallé d'une petite église paysanne du Kent.

Bien des années plus tard, alors que la troupe était revenue jouer à Canterbury, mon père m'avait emmenée voir cette église, et j'avais lu moi-même l'inscription :

CI-GIT LA DEPOVILLE MORTELLE
D'APHRA NEVTON,
EPOVSE DE MEREDITH NEVTON,
DECEDEE A L'AGE DE VINGT ET VN ANS.
ELLE AVAIT POVRTANT ATTEINT
LA PERFECTION DANS SES NOMBREVSES

VERTVS. ELLE A QVITTE NOTRE VALLEE DE LARMES LE IX DE JANVIER 1611. PRIEZ POVR ELLE !

L'inscription était surmontée d'un blason très usé par le temps mais l'image de la pauvre petite Aphra avait été assez bien conservée. La défunte était représentée les mains jointes pour la prière, son visage songeur tourné vers le ciel.

Le nom d'Aphra semblait lui aller assez bien, mais me convenait-il, à moi ? Ma chère maman n'avait-elle pas péché par optimisme en s'imaginant qu'en grandissant, je ressemblerais à un modèle aussi saint ? Un nom aussi vertueux semblait un peu déplacé au théâtre. Aussi m'étais-je sentie, dans une certaine mesure, rassurée quand mon père m'avait expliqué :

— Cette chère Petronella ! Je ne pouvais tout de même pas lui gâcher son plaisir en lui apprenant que ce prénom avait aussi été porté par l'une des femmes les plus perdues de réputation du dix-septième siècle, Aphra Behn. Cette créature scandaleuse a défié sa génération en écrivant des pièces choquantes et des romans plus que licencieux. Elle a mené une vie plus qu'agitée, a été la maîtresse de Charles Ier, est devenue une espionne, a même été enfermée dans une prison pour dettes. Tout cela ne l'a pas empêchée de finir dans l'abbaye de Westminster !

Quelques jours auparavant, mon père m'avait de nouveau emmenée voir cette tombe. Dans la voiture qui nous ramenait de cette église de campagne à Canterbury, mon père gardait un silence inhabituel. Je regardais son visage à la dérobée, et mon instinct me conseillait de me taire, moi aussi. Ses yeux avaient ce regard lointain qu'ils prenaient quelquefois depuis son veuvage, et je comprenais qu'il était plus ému par ce rappel de ma mère que ne pouvaient le laisser supposer ses remarques légères sur la moins vertueuse des deux Aphra. Je le soupçonnais de ne s'être réfugié dans ce bavardage amusant que pour alléger un moment trop poignant ou peut-être pour éviter de montrer son émotion.

Dès notre arrivée à Canterbury, Barney, le régisseur était accouru à notre rencontre avec ce grand sourire qui annonçait toujours de bonnes nouvelles. Son excitation était évidente.

— Monsieur Coleman, je vous ai cherché tout l'après-midi ! Un *gentleman* est venu vous voir pour vous faire une proposition exceptionnelle. Il voudrait que la troupe donne une représentation dans une maison privée, une grande demeure, je crois, pour fêter je ne sais quelle occasion, l'anniversaire du propriétaire ou quelque chose comme cela... Diable, où ai-je bien pu mettre le bout de papier sur lequel j'ai écrit tout ça ?...

Mon père avait hoché la tête d'un air indulgent. Nous étions tous habitués au désordre de Barney, mais nous connaissions aussi son dévouement à la troupe et cet enthousiasme qui illuminait en cet instant son visage parcheminé.

— Attendez... Ah oui ! je me souviens : Le Bois de l'abbé ! C'est cela, le Bois de l'abbé, a-t-il dit... Tiens, voilà, j'ai retrouvé mon bout de papier : le nom du *gentleman* y est inscrit...

Mais mon père avait à peine regardé le morceau de papier.

— Il doit revenir, monsieur Coleman, poursuivit Barney. Il a dit qu'il se présenterait à l'entrée des artistes après la représentation, ce soir.

— Il perdra son temps !

Mon père avait déchiré le bout de papier, puis, sans ajouter un mot, il avait gagné sa loge. J'avais couru après lui.

— Papa ! Je t'en prie ! C'est une offre qui paraît intéressante, non ? Et inhabituelle ! Et puis, après tout, un engagement supplémentaire ne ferait pas de mal à la troupe. Tu ne vas pas refuser une pareille occasion, non ?

— Ces représentations sans lendemain ne rapportent rien, avait répliqué mon père. Le transport des décors, des costumes, des accessoires, sans parler des acteurs, engloutit le maigre bénéfice qu'on peut en retirer.

— Mais monsieur, avait insisté Barney, qui trottinait à côté de nous, ce ne serait pas le cas, cette fois. Attendez d'avoir entendu le cachet qu'on nous propose ! Trois fois plus que d'ordinaire ! Et nous n'aurions pas de transport à payer. Ce *gentleman* a dit qu'il s'occuperait lui-même de tout ça, qu'il ferait envoyer des voitures pour emmener la troupe au Bois de l'abbé, que les acteurs seraient logés dans la maison même. C'est une grande maison, je crois, un véritable château.

— Comment savez-vous cela, Barney ?

Mon père était arrivé dans la loge où Clancy, qui faisait pour lui office d'habilleur, sortait déjà le costume de Prospero pour la représentation du soir.

— J'ai enquêté, monsieur. Je me disais que vous voudriez avoir tout de suite tous les détails. J'ai ainsi appris que le domaine appartenait à un certain William Bentine — mais il est mort depuis des années. C'est sa bru qui habite le château, maintenant, avec son frère, ce *gentleman* qui est venu, un dénommé Hillyard.

— Eh bien, quand ce monsieur Hillyard reviendra, dites-lui que je le remercie de son invitation mais que je regrette de ne pouvoir l'accepter.

Barney était resté bouche bée, avant d'oser objecter :

— Mais des propositions aussi intéressantes que celle-ci, ne se présentent pas tous les jours. Tout le monde est d'accord. Et ce sera une bonne façon de terminer la tournée...

— Cela suffit, avait conclu mon père. J'y réfléchirai.

C'était une dérobade. Il vit bien que je n'étais pas convaincue. Mais, quand il déclara qu'il ferait connaître sa décision après la représentation du soir, il fallut bien s'en contenter. Je n'étais pas arrivée à l'âge de dix-huit ans sans savoir quand je pouvais insister pour faire valoir mon point de vue, et quand il était préférable de me taire.

La nouvelle de son refus s'était répandue parmi les acteurs et, à l'entracte, une délégation s'était présentée à la porte de sa loge. Elizabeth Lorrimer, le premier rôle féminin, et George Mayfield, le second rôle masculin, la menaient, suivis de tout le reste de la troupe.

Seuls Elizabeth, George et Barney avaient pu entrer dans la loge de mon père, tant elle était exiguë.

— Est-il vrai, Charles, que vous refusiez de nous laisser donner une représentation dans une des demeures les plus magnifiques d'Angleterre ? avait demandé Elizabeth.

— Elle n'a rien de particulièrement magnifique. C'est une grande maison de campagne, simplement, avait rectifié mon père.

— Et comment savez-vous cela, s'il vous plaît ?

— Je me rappelle avoir vu des croquis de cette demeure dans des revues, je ne sais plus quand.

— Dans ce cas, vous ne pouvez pas dire que c'est une simple maison de campagne : c'est un vrai château ! s'était récrié George. Mais là n'est pas l'important. L'essentiel est que vous devez à la troupe d'accepter une proposition aussi intéressante, et que nous avons bien de la chance qu'on nous la fasse justement à la fin d'une tournée. Tous les théâtres de Londres tournent à plein, si bien que nous n'avons aucun espoir de trouver des engagements, même temporaires.

— Un engagement nous rendrait bien service, à tous, même pour une seule soirée, papa ! avais-je plaidé. Peux-tu vraiment te permettre de dire non ?

Je le regardais d'un air suppliant, tandis qu'il s'accordait un moment de réflexion.

— Très bien ! avait-il capitulé. J'accepterai,

mais à condition que vous jouiez à ma place, George. Cette tournée m'a fatigué.

— Cela ne marchera pas, monsieur, avait objecté Barney. Le *gentleman* a bien précisé qu'on comptait sur vous. Sans doute la dame de la maison est-elle une de vos admiratrices.

Ce compliment n'avait en rien, pour une fois, attendri mon père.

— Je t'en prie, papa ! Je t'en prie ! avais-je supplié.

— Très bien ! avait-il conclu, cédant brusquement. Je vous laisse conclure tous les arrangements, Barney. C'est toi, Aphra, qui feras part de ma décision à monsieur Hillyard. Dis-lui que nous jouerons *La Tempête,* car les costumes et des décors pour les autres pièces de notre répertoire sont déjà emballés et prêts pour être expédiés.

L'incident avait été ainsi clos sur des remerciements collectifs.

Accompagnée de Barney, je m'étais consciencieusement acquittée de ma mission. Comme convenu, M. Hillyard attendait au foyer des artistes. Tout mondain qu'il était en apparence, cet homme ne semblait pas avoir les défauts de l'espèce, n'avait ni cet air blasé ni ces élégances affectées de nombre de représentants de la haute société. Il était bien de sa personne mais d'une façon discrète. Ses cheveux blond clair s'accordaient parfaitement à ses traits pâles et distingués. Il était mince et de taille moyenne, pourtant nettement plus grand que moi. Il avait de plus le sourire le plus charmant que j'eusse jamais vu chez un homme.

— Mon père vous prie de l'excuser, monsieur

Hillyard. Il est un peu fatigué. Mais il m'a chargée de vous dire qu'il était très heureux d'accepter votre invitation.

J'avais été obligée de forcer un peu la note, par courtoisie. David Hillyard avait acquiescé, sans manifester de surprise.

— Ma sœur sera fort satisfaite. C'est elle qui a lancé cette invitation. Je n'ai fait qu'agir en son nom.

— Mon père propose que nous donnions *La Tempête.* Il espère que cela vous conviendra.

— *La Tempête* fera admirablement l'affaire. Puisque nous voici au mois de mai, la représentation pourra être donnée dans le parc. Nous avons un théâtre de plein air, il s'agit d'un hémicycle de pelouses qui a été aménagé sur fond de grands chênes.

— Cela paraît tout à fait charmant.

— Vous jouerez devant un public composé d'amis de la famille, des personnalités du comté et des membres de la bonne société locale, plus quelques visiteurs de la capitale, tous invités à fêter le quarantième anniversaire de ma sœur. Etant donné le nombre des invités qui coucheront au château, vous comprendrez que seuls les acteurs pourront être logés au Bois de l'abbé même. Nous hébergerons le reste de la troupe dans des chambres au-dessus des écuries et dans des cottages dispersés dans le domaine — des chambres très confortablement meublées, je puis vous l'assurer. Quant à vos machinistes, nous les logerons au village. Des voitures seront mises à votre disposition demain dimanche. La représentation aura lieu lundi en fin d'après-midi, ce qui nous permettra de profiter au maximum de la lumière du jour. Comme cela, monsieur Coleman disposera de toute sa matinée pour répéter, s'il le désire. A cet effet, la troupe pourra utiliser le grand hall. J'interdirai à qui que ce soit de venir vous y gêner, pendant ce temps.

Sur ces mots, il avait terminé son verre de porto. Avant de prendre congé, il m'avait précisé :

— Je me chargerai moi-même de vous conduire au Bois de l'abbé, votre père et vous. J'ai pris l'adresse de votre domicile. Je viendrai vous y chercher. Les autres voitures se rendront directement au théâtre. Voulez-vous demander aux membres de la troupe de se rassembler devant l'entrée principale à dix heures, demain matin ?...

— Ma parole ! s'était écrié Barney en regardant s'éloigner la silhouette élégante de David Hillyard. Il n'a rien oublié, n'est-ce pas ? Il a tout programmé jusque dans le moindre détail. Exactement comme pour une campagne militaire...

Quant à moi, j'étais restée sans voix, littéralement subjuguée par le charme du personnage.

Je ne m'étais pas attendue à voyager seule avec notre hôte. Mais, le matin même, au petit déjeuner, mon père m'avait annoncé qu'il nous rejoindrait à temps pour la représentation du lundi, mais qu'il avait entre-temps des affaires à régler à Folkestone. Pis que cela, il avait décidé de laisser George Mayfield jouer Prospero et de prendre pour lui-même le rôle de Caliban !

— Toi ! Toi, jouer, Caliban ! m'étais-je récriée.

Tu sais parfaitement que Prospero est un des rôles dans lesquels tu remportes le plus de succès !

» Et le public s'attend certainement à te voir tel que tu es, beau, élégant, digne, et non pas sous les traits d'un monstre poilu !

— Je vieillis, ma chérie, tu sais ? m'avait-il rétorqué en riant. J'aurai cinquante ans bientôt. Il est temps que je renonce à être l'idole des adolescentes et que je me concentre sur les rôles de caractère.

Il s'était contenté d'écouter mes protestations d'un air amusé et de m'assurer que j'avais tort de m'inquiéter. Il avait pris un fiacre pour se rendre à la gare longtemps avant l'heure où David Hillyard devait venir nous chercher. Mais, avant de s'en aller, il avait suggéré qu'Elizabeth Lorrimer prît place dans la voiture qui nous conduirait au Bois de l'abbé, estimant convenable que je fusse chaperonnée.

J'avais acquiescé, avec l'intention de désobéir. Pour rien au monde, je n'aurais laissé échapper cette occasion de voyager seule avec un tel homme. Il y avait en moi une bonne dose d'entêtement qui faisait que je n'hésitais pas au besoin à intriguer et à manœuvrer pour obtenir ce que je désirais.

Quand M. Hillyard s'était arrêté devant la maison très ordinaire de la rue très ordinaire où nous logions, j'étais prête et je l'attendais. Je le guettais, derrière les épais rideaux de dentelle, prenant garde à ne pas me trahir.

David Hillyard s'était montré très compréhensif en apprenant la décision de mon père :

— J'imagine que la préparation d'une nouvelle

tournée doit nécessairement prendre le pas sur un engagement occasionnel, m'avait-il dit. Je regrette seulement de n'avoir pas connu les projets de votre père. J'aurais pu prendre des dispositions pour le faire conduire à Folkestone demain matin. A quel hôtel votre père passera-t-il la nuit ? Je peux lui faire envoyer une voiture.

J'avais dû avouer que je n'en avais aucune idée.

— Cela ne fait rien, avait-il répondu. J'irai au théâtre de Folkestone demain matin. J'espère y trouver votre père et le ramener moi-même au Bois de l'abbé. J'attends avec impatience de faire sa connaissance. Je l'ai vu jouer tant de fois ! C'est un homme d'un talent exceptionnel.

De ma vie je n'avais connu journée comparable. Assise à côté de lui dans ma plus belle robe de mousseline à rayures roses et blanches, coiffée d'un canotier de paille blanche garni de rubans roses flottants, arborant une ombrelle de soie rose pâle ornée de dentelle blanche, je n'avais conscience de rien que de mon bonheur, que de mon attente. Je n'avais pas le moindre doute que ce jour marquait l'ouverture d'un chapitre nouveau et merveilleux de ma vie. Le simple fait d'être assise dans cette voiture splendide en compagnie d'un homme qui symbolisait tout ce qui manquait à mon existence — stabilité, fortune, position et, respectabilité sociale — suffisait à m'exalter.

— Parlez-moi de vous, mademoiselle Coleman, disait David Hillyard. Parlez-moi de votre vie. Elle doit être très intéressante, passionnante, même.

J'espère que vous ne trouverez pas l'existence au Bois de l'abbé insipide, par comparaison.

Il me souriait. Les mains, emprisonnées dans des gants gris tourterelle, tenaient les rênes avec aisance et assurance.

— Il n'y a rien de vraiment passionnant dans l'existence que je mène, monsieur Hillyard, répondis-je. Bien sûr, nous vivons des instants merveilleux, par exemple quand une de nos représentations obtient du succès.

— Ou quand votre père vous entraîne vers la rampe pour vous présenter au public ? Il a toujours l'air si fier, dans ces moments-là !

— Vous l'avez donc vu jouer souvent ? En tout cas, pas à Canterbury, car il accepte rarement de s'y produire.

— Je me demande bien pourquoi...

— Parce que c'est une scène de deuxième ordre. Elle n'est pas normalement comprise dans les tournées d'une troupe comme la nôtre.

— Dans ce cas, pourquoi a-t-il accepté un engagement à Canterbury, cette fois ?

— Par nécessité, expliquai-je franchement. Pour la dernière semaine de notre tournée, nous n'avons pas pu obtenir de meilleur contrat.

— Eh bien, nous avons bien de la chance. Moi surtout.

Ses yeux, sympathiques et francs, me jetèrent un long regard appréciateur, dont je ne m'offusquai pas du tout.

— Vous êtes délicieuse, mademoiselle, conclut-il, avec un sourire.

Je fus si contente que je me sentis rougir.

— Parlez-moi donc des tournées théâtrales. Expliquez-moi, par exemple, la raison pour laquelle Canterbury ne vient pour vous qu'en seconde catégorie, alors qu'une ville de villégiature beaucoup moins importante comme Folkestone semble vous paraître digne d'être classée en première catégorie ?

Cette question aurait déjà dû me venir à l'esprit. Le brusque départ de mon père laissait évidemment supposer qu'un engagement à Folkestone lui paraissait intéressant, alors que je ne l'avais jamais vu se déranger pour signer un contrat ailleurs que dans une salle de premier ordre. Comme je ne savais que répondre, j'écartai la question d'un haussement d'épaules. Je fus contente de voir que David Hillyard n'insistait pas sur ce sujet mais je résolus d'interroger mon père sur ce point dès que je le reverrais. Il me semblait que, si la remarque de mon compagnon était fondée, l'attitude de mon père envers notre hôte était doublement discourtoise. Car évidemment sa conduite laissait à penser qu'il voulait délibérement éviter de le rencontrer.

Non ! Cette idée était ridicule. Il n'y avait absolument aucune raison pour que mon père se conduisît ainsi...

Ce fut à ce moment que nous dépassâmes la dernière voiture du cortège. Dans une prairie, un peu plus loin, les autres membres de la troupe étaient déjà en train d'étaler des couvertures sur l'herbe, à côté d'un cours d'eau, mais cette dernière voiture roulait vraiment sans se presser aucunement. Il était vrai que ses occupants qui n'étaient autres que Miles et Elizabeth, n'avaient aucun motif de se hâter.

Je vis le regard surpris et songeur d'Elizabeth se poser sur moi et mon compagnon. Elle ne s'était pas attendue à me voir voyager seule avec ce riche inconnu. Je lui souris et lui fis un geste de la main mais elle n'eut pas le temps de me répondre, car M. Hillyard s'était incliné devant elle et elle était trop occupée à lui rendre sa courbette et son sourire pour s'inquiéter de personne d'autre. Miles Tregunter fronça les sourcils. C'était un trop beau jeune homme, gâté et boudeur, qui n'aimait pas être éclipsé, même le temps d'un simple salut.

Puis les yeux d'Elizabeth se tournèrent vers moi, et j'y lus un certain étonnement mêlé de fureur jalouse.

Tandis que je levais à nouveau ma main en direction d'Elizabeth, cette fois en guise d'adieu, David Hillyard me demanda :

— Désirez-vous vous arrêter pour rejoindre le groupe, mademoiselle ?

— Non, répondis-je, avec trop d'empressement. En fait, je n'ai pas le moins du monde soif et, pour être franche, j'éprouve un grand plaisir à me promener dans cette jolie campagne.

Je regardai les voitures qui attendaient, alignées sur le bord du chemin.

— Vous disposez d'une variété étonnante de véhicules ! m'exclamai-je.

— La plupart ne m'appartiennent pas, rectifia-t-il. Ce sont des voitures de louage que j'avais réservées depuis une quinzaine de jours.

— Quinze jours ? Mais alors, avant même l'arrivée de la troupe à Canterbury ? Vous deviez être tout à fait sûr que mon père accepterait votre invitation !

— Pas sûr, mais raisonnablement optimiste. Il me semblait qu'il n'y avait pas de raison pour qu'il refuse cette représentation puisque c'était la dernière semaine de votre tournée.

— Mais comment le saviez-vous ? Je veux dire, comment avez-vous appris que c'était la fin de la tournée ?

— Voyons, comment aurais-je pu l'ignorer ? Les affiches du théâtre annonçaient : « Dernière semaine de la tournée shakespearienne des Baladins de Thespis ! Ne ratez pas cette occasion d'applaudir Charles Coleman dans le rôle de Prospero ! »

Il me regarda avec un sourire taquin mais, en même temps, gentil et compréhensif, dont la douceur et la tendresse me bouleversèrent...

L'entrée du domaine était impressionnante. Une immense arche de pierre portée par deux épais piliers formait l'encadrement d'un grand portail de fer forgé dont les vantaux nous furent ouverts par un gardien. L'homme porta respectueusement la main à son toupet et s'écarta pour nous laisser passer.

— Laissez le portail ouvert, Walker, ordonna David Hillyard. D'autre voitures nous suivent.

Il parlait sans élever la voix, avec l'aisance parfaite de quelqu'un qui est habitué à donner des ordres.

Puis il agita les rênes, et les chevaux se remirent en route. Au moment où le landau allait franchir le portail, je levai les yeux et remarquai le motif central sculpté dans la pierre : il représentait une tête d'aigle, qui se dressait au-dessus de nous, menaçante. Je détournai vivement mon regard mais retrouvai le même oiseau de proie, en fer, cette fois, sur les médaillons qui formaient le centre de chaque vantail. Mais, peut-être parce que le relief de ces images était moins accusé, elles paraissaient moins menaçantes que la sculpture de l'arche, avec ce bec et ces serres qui semblaient prêts à vous agresser.

Le portail franchi, nous nous retrouvâmes dans un immense parc. L'allée passa sur un pont, serpenta entre des pelouses semées de bouquets d'arbres, puis entre des massifs de rhododendrons aux coloris déjà éclatants. J'avais l'impression d'entrer dans un monde... nouveau.

Quand nous contournâmes le dernier écran d'arbres, le rideau se leva sur un spectacle si extraordinaire que j'en eus le souffle coupé.

J'avais devant moi une demeure d'une beauté dépassant tout ce que j'avais pu imaginer. En un instant, l'impression désagréable que m'avait laissée l'oiseau de proie du portail fut oubliée. J'étais littéralement fascinée par ce spectacle harmonieux qui s'offrait à moi.

— Bienvenue au Bois de l'abbé ! dit tranquillement David Hillyard. Cela faisait si longtemps que j'attendais de vous amener ici...

CHAPITRE II

Etonnée, je dévisageai mon compagnon...

— Ne me croyez pas présomptueux, mademoiselle. Je dis la vérité, simplement.

Sa franchise m'encouragea à user du même ton.

— Depuis combien de temps attendiez-vous donc ?

— Depuis que je suis les Baladins de Thespis de ville en ville, de province en province. Vous devez me pardonner d'avoir eu recours à ce subterfuge pour vous recevoir ici...

— Vous voulez dire que vous avez menti, que cette admiration que la châtelaine du Bois de l'abbé porte à mon père n'était qu'un prétexte ?

— En réalité, ma sœur Claudia n'a pas mis les pieds au théâtre depuis la mort de son mari, et cela fait déjà bien des années. Oh ! je suis certain qu'elle sera ravie de faire la connaissance de votre père et de le voir jouer. Mais c'est moi qui lui ai donné l'idée de vous accueillir. Et c'était une bonne idée, je crois, car ce domaine est vraiment l'endroit idéal pour jouer *La Tempête*. Si votre père n'avait pas eu lui-même l'idée d'interpréter cette pièce, je la lui aurais suggérée, car notre théâtre de plein air est un cadre parfait pour ce spectacle. Lawrence, mon défunt beau-frère, y faisait donner beaucoup de représentations d'amateurs. Ainsi, vous voyez que mon histoire avait tout au moins une base de vérité ; si j'ai un peu retouché cette vérité, vous me pardonnerez, car comment aurais-je pu dire simplement à votre père que je voulais amener sa fille au Bois de l'abbé parce que j'avais désiré faire sa connaissance dès le premier jour que je l'ai vue au Théâtre royal de Bristol ? Il aurait douté de mes motifs, probablement — et cela eût été compréhensible. Mais j'ose espérer que vous n'en douterez pas, vous, mademoiselle. Ils sont honorables, croyez-moi.

Je le crus, en effet, et me sentis soudain envahie d'une joie que je n'avais encore jamais éprouvée.

Au même moment, deux valets d'écurie apparurent à l'angle de la façade. Ils s'emparèrent de la bride et des mors et arrêtèrent l'attelage. David sauta à bas de la voiture et me tendit ses deux mains. David... Cela me paraissait naturel brusquement, de penser à lui en l'appelant par son prénom.

Les grandes portes de la maison s'ouvrirent comme par magie. Un valet de chambre descendit le perron, prit mes valises et s'écarta respectueusement, nous laissant monter les marches devant lui. A l'entrée, un maître d'hôtel à cheveux blancs s'inclina dignement. Il annonça que Mme Bentine nous attendait sur la terrasse.

— Nous avons installé un buffet dans la

grande salle à manger pour la troupe, monsieur, précisa-t-il, mais madame Bentine a pensé que vous désireriez prendre un repas plus intime avec vos amis personnels sur la terrasse.

L'homme regarda la voiture vide, derrière nous, en clignant ses yeux de myope, et ajouta délicatement :

— Je crois comprendre qu'il n'y aura que trois couverts, au lieu de quatre, monsieur ?

— C'est cela, Truman. Le père de mademoiselle Coleman arrivera plus tard. Pour le moment, je pense que mademoiselle Coleman aimerait se rafraîchir. Ayez la bonté de faire venir madame Stevens.

Mais celle-ci était déjà là. C'était une femme plantureuse, toute vêtue de noir. Ses yeux vifs brillaient de curiosité à un point qui me mit mal à l'aise. Rassemblant mes jupes, je la suivis dans l'escalier. Les marches étaient de pierre, bordées de balustres en fer forgé. Mon coup d'œil admiratif n'échappa pas à l'intendante.

— Un travail de Deakon, naturellement, mademoiselle, expliqua-t-elle. Cette rampe-là est ancienne, bien sûr. Mais Red Deakon travaille aussi bien aujourd'hui que son ancêtre.

— Red Deakon ?

— Maître Deakon des Forges Deakon. La famille habite cette région depuis plus longtemps encore que les Bentine, qui ne sont installés ici que depuis trois générations.

Je décourageai toute autre confidence sur ses patrons en ne répondant pas, mais rien n'échappait à ses yeux vigilants. Le tressaillement involontaire dont je fus victime quand je me trouvai en face de deux immenses aigles de pierre, dressés comme des sentinelles à la tête du grand escalier, provoqua immédiatement un autre commentaire.

— Les aigles Bentine, mademoiselle. C'est une sorte de symbole, ici. Le feu père de *Sir* William en élevait en captivité. Il disait que cet emprisonnement n'avait rien de cruel. Je crois cependant que monsieur Hillyard n'est pas de cet avis. De toute façon, ces animaux ne font pas l'unanimité, n'est-ce pas ? D'ailleurs, l'événement a bien prouvé que...

Mais elle s'interrompit et changea précipitamment de sujet.

— Nous voici dans l'aile est. Je suis sûre que vous vous y plairez.

Elle ouvrit une porte.

— J'espère que cette chambre vous conviendra ? Votre père occupera la chambre voisine...

Elle hésita.

— Il n'est donc pas venu avec vous ? demanda-t-elle.

— Il arrivera à temps pour la représentation, demain.

Elle me donna quelques indications, je la remerciai et elle se décida enfin à refermer la porte derrière elle, un peu à contrecœur.

Restée seule, je regardai autour de moi. Je n'avais jamais vu une chambre aussi somptueuse. Jamais je n'avais eu un lit aussi spacieux. Je palpai les draps délicats d'un doigt respectueux, savourai leur douceur. Puis j'allai à la fenêtre. De grands rideaux de velours tombaient du plafond au parquet. Je ne pus résister à l'envie de les toucher. Comme j'étais là, caressant avec respect les plis du rideau, quelque chose attira mon attention, dehors, et ma main s'immobilisa dans son geste : un homme me regardait, d'en-bas, un sourire ironique aux lèvres. Il avait des cheveux d'un roux flamboyant, et j'eus immédiatement de l'aversion pour lui. Plus que de l'aversion. Je lui en voulais parce qu'il m'avait en quelque sorte prise en défaut, et cela me mettait en fureur.

Je me reculai brusquement...

Quand je descendis, je trouvai David dans le hall, qui m'attendait. Il plaça sa main sous mon coude d'un geste tout naturel et, tout naturellement aussi, je le laissai faire.

— Vous êtes charmante, mademoiselle... Aphra... Quand je pense à vous, c'est toujours sous ce nom : Aphra. Vous charmerez ma sœur comme vous avez conquis mon cœur. Je ne puis croire que j'aie réellement réussi à vous amener ici ! Je reconnais que j'avais peu d'inquiétude en ce qui concernait l'acceptation de votre père, mais je craignais beaucoup plus de ne pas vous plaire...

Je ne savais plus que dire. Je sentais mes joues s'empourprer. Jamais encore, mon cœur n'avait battu aussi vite. Quand je me fus assez ressaisie pour oser lever les yeux vers lui, je vis qu'il me regardait avec intensité.

— Aphra ! reprit-il. Douce Aphra ! C'est ainsi que j'ai pensé à vous dès le premier jour que je vous ai vue entrer en scène.

Nous étions arrivés sur la terrasse. Le charme de

notre bref entretien fut rompu. Une grande femme s'avançait vers nous. Je vis qu'il y avait deux autres personnes derrière elle : une femme et l'homme qui m'avait regardée avec un tel amusement moqueur quand j'étais à ma fenêtre. J'eus envie de faire demi-tour et de m'enfuir mais David Hillyard me tenait solidement par le coude.

— Vous n'avez aucune raison d'avoir peur de Claudia, dit-il tranquillement. C'est la plus gentille personne du monde.

Claudia Bentine me tendit une main longue et fine.

— Bienvenue au Bois de l'abbé, mademoiselle Coleman !

Sa voix était légère, assurée et convenait parfaitement à cette femme si pleine de grâce et de prestance. Elle avait les mêmes yeux gris et calmes que son frère, et tous deux étaient blonds, avec le même teint pâle et des traits réguliers.

Et puis, je vis s'approcher un visage sur lequel je retrouvais des traits semblables, mais sans beauté. La femme que j'avais aperçue à l'arrière-plan s'était avancée et attendait d'être présentée. Son apparence était vraiment saisissante. On aurait dit une caricature grotesque de Claudia Bentine. Elle avait à peu près la même taille, la même tournure, mais elle était légèrement plus jeune. Et on avait l'impression qu'elle avait fait des tentatives pathétiques non seulement pour copier l'élégance de la maîtresse de maison, mais encore pour la surpasser en outrant sa parure au-delà du simple bon goût.

— Harriet, ma chère, dit Claudia Bentine, venez que je vous présente cette jeune fille.

Elle prit par la main cette femme si curieusement accoutrée et l'attira en avant :

Contrairement à celle de Claudia Bentine, la poignée de main de la nouvelle venue était désagréablement molle.

— Vous êtes sans doute la cousine dont monsieur Hillyard m'a parlé ? dis-je.

— David ? Que vous a-t-il dit de moi ? demanda-t-elle vivement.

Puis, tout aussi rapidement, son regard se tourna vers la table, à l'arrière-plan.

— Je vois que vous déjeunez tous ensemble, mais qu'on ne m'a pas conviée.

— Il se trouve simplement que j'ai prié mademoiselle Coleman et son père de se joindre à moi pour le déjeuner, dit Claudia, sans s'émouvoir ; et David aussi parce que c'est lui qui les a amenés.

Ainsi son frère ne l'avait pas encore mise au courant de l'absence de mon père. Je m'en expliquai immédiatement, mais je ne l'avais pas plutôt fait que je regrettai mon intervention car, bien que le visage de Claudia Bentine fût resté impassible, je compris qu'elle aurait préféré que cette étrange cousine ne sût pas qu'il y aurait une place libre à table.

Elle se tourna rapidement vers l'homme qui, pendant ces présentations, n'avait pas bougé de son coin, dans un angle de la terrasse. Négligemment adossé à la balustrade de pierre, il nous observait tous.

— Eh bien, Red... Voulez-vous prendre la place de monsieur Coleman ?

Bien sûr, pensai-je, il ne pouvait que s'appeler

Red (*) ! Aucun nom n'aurait pu lui convenir mieux. Il avança vers nous d'un pas nonchalant.

— J'en serais ravi, ma chère Claudia, si j'étais libre. Malheureusement, je me suis engagé par ailleurs.

Harriet Hillyard se mit à battre des mains et pivota sur elle-même, ravie comme une enfant de voir ses jupes de voile tourbillonner autour de ses pieds.

— Maintenant, Claudia, vous ne pouvez plus ne pas m'inviter, n'est-ce pas ? Mademoiselle Coleman vous trouverait très impolie si vous ne le faisiez pas, et je sais que vous détestez passer pour impolie. Oui, oui, d'accord, il y a un buffet pour les autres — j'ai vu les préparatifs, toute la matinée. Mais ne venez pas me dire que cela me donnerait l'occasion de faire la connaissance du reste des Baladins de Thespis. C'est mademoiselle Coleman et son père que je désire connaître. David a eu beau m'avertir qu'il ne fallait pas les ennuyer parce qu'ils seraient très occupés. Je ne vois pas bien pourquoi ils le seraient, eux, et pas le reste de la troupe.

— Les principaux acteurs seront tous très occupés, dit David.

Son ton me donnait l'impression qu'il savait à quoi s'en tenir sur les humeurs de son excentrique cousine, et comment y répondre.

— Mais, ma chère Harriet, dit sa sœur, il est bien évident que vous déjeunerez avec nous !

Comme David, elle parlait à leur cousine d'une voix patiente. Puis elle se tourna vers moi et me dit

(*) Rouge, roux, en anglais.

combien elle était déçue d'apprendre que mon père était retardé. Elle m'assura qu'elle était encore plus impatiente de faire sa connaissance depuis qu'elle avait rencontré sa fille.

— Lui ressemblez-vous ?

— On m'a toujours dit que je tenais plutôt du côté de ma mère.

David alla à une table sur laquelle on avait disposé un carafon et des verres et nous versa du sherry, à tous. L'homme qu'on avait appelé Red s'approcha de moi.

— Claudia a oublié de nous présenter, dit-il tranquillement. Ne lui en veuillez pas ; elle doit penser à tant de choses ! Je m'appelle Deakon. Ce n'est pas à moi de vous souhaiter la bienvenue au Bois de l'abbé, car je ne suis pas de la maison. Mais je suis sûr que David l'a déjà fait. Il n'omet jamais aucun détail.

— Il est extrêmement courtois, si c'est ce que vous voulez dire.

Red Deakon sourit. Je remarquai que ses yeux étaient couleur d'ambre foncé et qu'ils me regardaient de haut avec cette même perspicacité qui m'avais déjà frappée lorsque j'étais dans ma chambre. Je fus heureuse de voir revenir David. Il me tendit un verre en souriant. Je me contraignis à détourner mon regard et je vis que Red Deakon n'était plus à côté de moi. Il se penchait sur la main de Claudia, qui le remerciait de sa visite.

— C'est gentil à vous de consacrer une telle part de votre temps à ce qui peut n'apparaître que comme une fantaisie de ma part, mais cela fait très longtemps que j'ai envie de me débarrasser de ces balcons, avec leurs hideuses têtes d'aigle. Dans combien de temps pourrez-vous me fournir de nouveaux dessins ?

— Dans quelques semaines. Je m'en occuperai moi-même.

— C'est vraiment fort aimable à vous. Je n'aurais guère pu espérer qu'une entreprise aussi importante que les Forges Deakon s'intéresseraient à une si petite commande.

— Soyez sûre que nous apprécions tous les travaux qu'on veut bien nous confier, quelle qu'en soit l'importance. En particulier s'ils nous sont demandés par des amis.

— Eh bien, au revoir. A bientôt !

Ne voulant pas me laisser troubler davantage, je le regardai droit dans les yeux quand il s'approcha pour me dire au revoir. Dans le soleil, je remarquai ses pommettes hautes, bien équilibrées par un menton volontaire qui donnait à son visage une impression de force. Quant à sa bouche... Elle avait une expression difficile à définir. Résolue, certes, mais légèrement moqueuse. Non, décidément Red Deakon ne me plaisait pas.

— Je regrette de n'avoir pas eu plus de temps pour m'entretenir avec vous, mademoiselle, me dit-il. Mais je viendrai à la représentation, demain, et j'espère avoir plus de chance à ce moment-là.

Il s'inclina et partit avant que j'eusse pu trouver une réponse convenable, ou un prétexte pour éluder une nouvelle rencontre.

Nous étions à peine installés à table que je dus subir des assauts d'Harriet.

— Vous n'avez pas du tout l'air d'une actrice, conclut-elle au dessert, d'un air déçu. Vous n'êtes guère maquillée...

Je me mis à rire.

— Attendez d'avoir vu notre premier rôle féminin. Elle répondra mieux à votre attente. Mademoiselle Lorrimer sait exactement la quantité de fard qu'elle peut se permettre à la ville. Elle est vraiment très charmante. Beaucoup plus charmante que moi.

— Si mademoiselle Lorrimer se maquille à la ville, elle ne peut pas être une dame, objecta impoliment Harriet. Mais on sait que les actrices ne sont pas des dames, de toute façon.

Claudia Bentine se tourna vers moi et m'adressa un sourire d'excuse.

— Ne faites pas attention à Harriet, me dit-elle. Ses mots dépassent souvent sa pensée.

— Oh ! mais non ! Mademoiselle Coleman n'a vraiment pas l'air d'une comédienne, n'est-ce pas, David ?

— Pour ma part, je la trouve tout simplement charmante !

Le déjeuner était presque terminé. Sans en être certaine, j'avais toutefois l'impression que mon hôtesse en était contente, et je la comprenais. La volubilité d'Harriet était épuisante.

— On a donné quantité de spectacles d'amateurs, disait-elle, au Bois de l'abbé. J'ai joué Ophélie, une fois, et tout le monde a dit que j'avais été merveilleuse, dans ce rôle. Je vous ferai répéter le rôle, si vous voulez.

— Votre proposition est très aimable, remerciai-je. Mais je connais très bien ce rôle pour l'avoir interprété plusieurs fois déjà.

La susceptibilité d'Harriet fut piquée.

— Je ne vous vois pas du tout jouer Ophélie, avec votre chevelure brune. Ophélie doit avoir des cheveux blond doré, comme moi. J'ai une photo de moi en Ophélie. Hobson, le bourrelier du village, est un excellent photographe amateur. Il est venu au Bois de l'abbé prendre des photos de nous tous. N'est-ce pas, David ? Oh ! j'oubliais... vous n'étiez pas là.

Elle se retourna vers moi.

— David ne s'intéresse pas du tout au théâtre.

« J'ai suivi les Baladins de Thespis de ville en ville, de province en province », m'avait-il pourtant dit. Que devais-je en déduire ?

— Vous vous trompez, Harriet ! se récria aussitôt David. Je m'y intéresse beaucoup, au contraire. Mais seul le théâtre professionnel me passionne.

— C'est parce que vous ne réussissez pas comme amateur. Vous n'avez pas mon talent. Le mari de Claudia était très bon comédien lui aussi, paraît-il — bien que je ne l'aie jamais vu, naturellement. Je n'habitais pas au Bois de l'abbé, à ce moment-là. J'étais en pension.

Cette réflexion me surprit et, presque machinalement, je fis un rapide calcul. Claudia Bentine était sur le point de fêter son quarantième anniversaire et sa cousine paraissait n'avoir que quelques années de moins qu'elle. A quel âge Claudia s'était-elle mariée, si Harriet était encore en pension à ce moment-là ?

Je ramenai mon attention à ses propos. Elle parlait de Lawrence, le défunt mari de Claudia, et disait qu'il faisait participer tous les gens de la région à ses spectacles. David répondit que ce n'était pas Lawrence qui agissait ainsi, mais Jasper, son frère cadet.

— Non, ce n'était pas lui ! Comment pourriez-vous le savoir ? Vous étiez à Vienne, à ce moment-là. La seule qui sache à quoi s'en tenir, c'est Claudia, parce que Lawrence était son mari. Avez-vous participé aussi à ces spectacles, Claudia ? Non... je suppose que vous n'en avez guère eu l'occasion. Vous n'avez pas été mariée suffisamment longtemps.

La tête frisée se retourna vers moi. Harriet me demanda naïvement :

— Imaginez-vous rien de plus dramatique que de devenir veuve après neuf mois de mariage seulement ?

Je fus tellement saisie que je ne trouvai pas de réponse. Harriet ne m'en donna pas le temps, d'ailleurs. Elle continua, de sa voix excitée, haut perchée :

— Et la façon dont elle est devenue veuve est encore plus dramatique !

— Cela suffit, Harriet ! coupa sèchement David. Vous allez faire de la peine à Claudia.

— Mais non, dit sa sœur, qui gardait sa sérénité. Le bavardage d'Harriet ne me fait jamais de peine. D'ailleurs, elle ne dit pas cela pour m'attrister, n'est-ce pas, Harriet ?

— Bien sûr que non ! Il me semble qu'une femme qui a perdu son mari depuis plus de vingt ans doit à peine se le rappeler. Vous n'aviez que dix-neuf ans, à cette époque. Cela doit vous paraître un autre monde, une autre vie, maintenant.

Claudia Bentine se contenta de sourire et ne répondit pas. Se tournant vers moi, elle m'invita à profiter librement du domaine.

— Il y a beaucoup de promenades agréables à faire dans la propriété, et je suis certaine que mon frère prendra grand plaisir à vous les montrer.

Harriet sauta immédiatement de sa chaise.

— Non, non ! C'est moi qui accompagnerai mademoiselle Coleman ! J'ai une bonne idée. Je l'emmènerai dans le vallon où nous donnons nos représentations et je lui jouerai mon Ophélie.

Je fus soulagée en entendant David intervenir avec fermeté.

— A un autre moment, Harriet. Le dimanche est le seul jour de la semaine où mademoiselle Coleman peut se reposer du théâtre.

J'évitai de regarder Harriet Hillyard pour voir comment elle prenait cette déclaration.

Quelques instants plus tard, je montai dans ma chambre mettre des chaussures de marche. Au même moment, l'on apportait la vieille valise de mon père dans la chambre voisine de la mienne. Le bagage avait été expédié avec ceux de la troupe. J'en conclus que tout le monde devait maintenant être arrivé. Je passai dans la chambre de mon père, ouvris sa valise, qui me parut encore plus antique et minable, par contraste avec ce cadre splendide, et j'entrepris de déballer ses affaires. Je remarquai que mon père n'avait prévu aucun vêtement de soirée. Etait-ce volontaire ou un simple oubli de sa part ?...

Je fus interrompue par une toux discrète venue du seuil. Je me retournai. Truman, le maître d'hôtel à cheveux blancs, était sur le pas de la porte. Il s'avança d'un air digne.

— Je vous demande pardon, mademoiselle, mais monsieur Hillyard m'a prié de défaire les bagages de monsieur Coleman.

Le plus dignement possible, je me retirai dans ma chambre, tandis que le maître d'hôtel considérait avec curiosité le cuir usagé de la valise de mon père.

J'étais à peine entrée qu'on frappa à ma porte.

— Je savais bien que je vous trouverais là, dit Elizabeth, sans aucun préambule. C'est la meilleure chambre. Je suppose d'autre part que c'est votre père qui s'est arrangé pour que vous accomplissiez le voyage seule avec monsieur Hillyard.

Elle referma la porte en la faisant claquer assez sèchement et se planta devant moi.

— Pourrais-je savoir exactement ce que votre père manigance, ma chère Aphra ? Vous ne nierez pas qu'il prépare quelque chose et, si quelqu'un doit savoir à quoi s'en tenir, c'est bien vous. Au nom du ciel, à quoi pense-t-il en laissant George Mayfield jouer Prospero et en prenant pour lui le rôle de Caliban ? J'aimerais beaucoup qu'on me mette au courant.

Je pensai que j'aurais bien aimé être « mise au courant », moi aussi.

— George s'est donné de grands airs toute la journée. A croire que c'est lui le patron des Baladins, maintenant ! Et j'ai entendu dire que vous aviez déjeuné en privé avec la famille...

— Comment savez-vous cela ?

— C'est très simple, ma chère. Je me suis renseignée auprès de ce maître d'hôtel qui prend des airs condescendants. Il m'a informée gracieusement que vous déjeuniez sur la terrasse avec madame et son frère. Passons... C'est tout de même un curieux manque d'égards envers le premier rôle féminin de la troupe.

— N'y voyez pas une attaque personnelle. Je n'ai été invitée que parce que mon père est le directeur de la troupe.

Elle se calma un peu et se mit à déambuler dans la chambre, l'examinant en détail et, je le savais, faisant mentalement des comparaisons avec celle qui lui avait été affectée.

Je repris, sur un ton conciliant :

— Si vous vous imaginez que mon père s'est arrangé pour que je sois la seule passagère de monsieur Hillyard, Elizabeth, vous vous trompez. C'est moi la responsable.

Elle s'arrêta net et me regarda, les sourcils froncés. Je me hâtai d'expliquer :

— Papa avait insisté pour que vous m'accompagniez, mais je ne voulais pas d'un chaperon. Et je ne pense pas que vous auriez aimé jouer ce rôle.

— En effet ! Je ne suis tout de même pas assez âgée pour cela ! Mais quelle fourberie, de votre part, ma chère ! Décidément, vous vous mettez à agir sournoisement, comme votre père.

— Mon père, sournois ! protestai-je, indignée.

— C'est bon, vous saurez un jour ce que je veux dire. Dans la mesure du moins où il vous le permettra. Une seule femme a jamais connu les secrets de son cœur : Petronella.

Elle retourna lentement à la porte. La main sur le bouton, elle me lança négligemment :

— A propos ! Si vous envisagez de faire une promenade — je vois que vous avez mis des souliers de marche —, vous feriez bien de vous hâter. Dans l'exercice de sa nouvelle grandeur, George a fixé la répétition à quatre heures. Il est déjà près de trois heures. Cette promotion a réellement tourné la tête à ce garçon !

Le Bois de l'abbé fut une révélation pour moi. J'étais impressionnée par la grâce, la dignité, le confort, le luxe, le mécanisme bien huilé de cette maisonnée où tout semblait s'accomplir avec une efficacité discrète. J'enviais les gens qui vivaient de cette manière. Rêve impossible, bien sûr. Cette visite n'était rien de plus qu'un interlude, dans ma vie, et je devais l'accepter comme telle. Mais je me la rappellerais toujours. Je ne me contenterais plus jamais des rêves que j'avais faits naguère — rêves de maisons respectables et douillettes dans des quartiers petits-bourgeois...

Durant cette promenade que je fis avec David, nous parcourûmes non seulement l'immense parc mais aussi les bois contigus — ces bois dans lesquels, des aigles, jadis, avaient essayé de déployer leurs ailes sans y parvenir.

— Vous devez être très fier de posséder une telle demeure, dis-je.

— Elle ne m'appartient pas, rectifia David Hillyard, et je n'ai aucune chance de la posséder jamais. Ma sœur est une Bentine, par son mariage, mais pas moi. Claudia a épousé l'héritier de la famille Bentine et, quand son mari est mort, le nom est mort avec lui. Je gère les affaires du domaine pour elle, car l'administration d'une demeure comme celle-ci exige beaucoup de travail. La ferme est administrée par un régisseur, naturellement, qui est aussi responsable des vergers. J'espère que vous serez ici à la floraison pour les voir dans toute leur beauté.

— Je crains fort d'être prise par nos tournées de printemps, soupirai-je.

— Vous semblez le regretter ?

Je le regrettais, oui, et je savais qu'il le regrettait aussi.

Il glissa une main sous mon coude pour m'aider à traverser un ruisseau aménagé à titre décoratif et nous continuâmes ainsi notre route en direction du château. Il continuait à me parler du Bois de l'abbé et du travail administratif dont il se chargeait pour sa sœur, mais j'avais bien l'impression qu'il était également troublé. Chaque pas me rapprochait pourtant de la fin de ces moments magiques et de la répétition, qui devait d'ailleurs avoir déjà commencé. Mais je me moquais d'être en retard. Je ne vivais que dans cette heure présente, une heure précieuse, dont je garderais le souvenir, que je chérirais à jamais.

Distraitement, mon compagnon cueillit un rameau de seringa et me l'offrit. Comme je le portais à mes narines pour en humer le parfum, quelque chose frissonna et s'échappa d'entre les fleurs. David l'attrapa au vol.

— Un vulcain ! s'écria-t-il. Un spécimen parfait ! Regardez les marques, sur les ailes ! Et ces coloris !

L'admiration mettait de l'excitation dans sa voix. Il ne semblait pas prendre garde à l'affolement du papillon, dont les ailes battaient contre sa paume.

— Le pauvre est effrayé ! me récriai-je. Laissez-le partir !

— Pas encore ! Profitons-en encore un peu.

De sa main blanche, il lança le papillon en l'air et le regarda voleter, petite tache de couleurs vives dans le soleil. Et, le papillon s'étant posé à nouveau, il le captura encore. Cette fois, le battement d'ailes devint frénétique, et David garda longtemps le papillon au creux de ses paumes, souriant gentiment avant de le libérer.

— Pendant un moment, dis-je, j'ai cru que vous ne le lâcheriez plus.

— Chère mademoiselle Coleman, ai-je l'air d'un homme qui prendrait au piège une créature impuissante et qui la retiendrait prisonnière ?...

Comme je m'y attendais, la répétition avait commencé. Comme je me glissais dans le hall réservé pour notre usage, je repérai une silhouette assise dans l'ombre. Je reconnus immédiatement Harriet Hillyard. Il me fallait la persuader de s'en aller, car elle était bien capable d'interrompre la répétition si quelque lubie la prenait.

— Vous apprécierez mieux la représentation, demain, si vous ne regardez pas la répétition, lui chuchotai-je à l'oreille. D'ailleurs, ce n'est qu'une relecture à l'usage de monsieur Mayfield, pour s'assurer qu'il connaît parfaitement son texte. Il n'y a rien de passionnant dans ce genre d'expérience.

— Oh ! je ne suis pas d'accord du tout ! Quand je jouais Ophélie, tout le monde me trouvait passionnante, même pendant les répétitions. J'aurais préféré que la troupe donne *Jules César.* J'aime tant cette scène dans laquelle les assassins l'entourent... Je suppose que c'est Claudia qui l'a interdit.

Comme j'avais du mal à suivre le bavardage décousu de cette tête folle, je ne répondis pas. J'espérais vaguement que mon silence la découragerait mais il n'en fut rien. Elle se pencha vers moi d'un air confidentiel et chuchota :

— Naturellement, *La Tempête,* c'est plus sûr. Il n'y a pas de risque qu'il y ait un meurtre, cette fois.

J'étais trop stupéfaite pour répondre. Elle se rapprocha encore de moi et chuchota, d'un ton dramatique :

— Aimeriez-vous que je vous emmène dans le vallon, pour voir où cela s'est réellement passé ?

— Quoi donc ? chuchotai-je, moi aussi, malgré moi.

— Eh bien, le meurtre, naturellement. L'endroit où Brutus a finalement poignardé César. Où, devrais-je dire plutôt, Jasper a tué son frère Lawrence...

CHAPITRE III

Avant le dîner, ce soir-là, on servit le champagne dans le grand hall, pour souhaiter la bienvenue à la troupe. Des extras recrutés au village étaient venus aider le personnel du château.

— Nous recourons toujours à eux pour la fête annuelle, me dit Claudia. Je suis sûre qu'Harriet vous a déjà beaucoup parlé de ces fêtes. C'est le grand événement de l'année pour la plupart des villageois. Mais les festivités de ce week-end seront bien plus marquantes encore. C'est la première fois qu'une troupe d'acteurs professionnels donne une représentation ici — et c'est la première fois que la maîtresse de maison fête son quarantième anniversaire, acheva-t-elle en riant.

Elle regarda autour d'elle, contente de voir que mes camarades s'amusaient visiblement.

— Quel dommage que votre père n'ait pu être des nôtres ! reprit Claudia. J'ai hâte de faire sa connaissance.

Elle m'attira un peu à part et ajouta :

— Je voudrais profiter de ce moment où nous sommes seules pour vous mettre en garde. Ne faites surtout pas attention au bavardage de notre pauvre Harriet. Elle a... disons une imagination très vive. Elle raconte les histoires les plus invraisemblables, qu'elle oublie ensuite, d'ailleurs, excepté une qui lui tient à cœur : vous avez vu, elle se vante d'avoir joué Ophélie, ce qu'elle n'a jamais fait, bien sûr. Comme elle est toujours convaincue de ce qu'elle raconte, sur le moment, nous flattons sa manie et évitons de la contrarier. J'espère au moins qu'elle ne vous a pas fatiguée avec ses bavardages ?

— Pas du tout, assurai-je.

Comment pouvais-je lui dire qu'Harriet m'avait raconté une histoire fantastique de meurtre — un meurtre entre deux frères, celui du mari de Claudia par son frère cadet ? Et comment aurais-je pu croire cette histoire ?

— J'en suis heureuse. Voyez-vous...

Claudia Bentine hésita, puis reprit, sur un ton plus confidentiel :

— Enfin, vous ne serez certainement pas surprise d'apprendre que ma pauvre chère cousine est un peu... disons... retardée. Vous avez dû remarquer son comportement bizarre, pendant le déjeuner ? Je n'ai pas le cœur de me montrer sévère avec elle ; d'ailleurs, on nous a mis en garde contre les dangers qu'un excès de sévérité pourrait présenter, dans son cas. Oh ! elle a été soignée bien sûr ! Dès son adolescence, même. Mais aucun traitement n'a été très efficace. Naturellement, j'estime qu'il est de mon devoir de prendre soin d'elle. Les asiles sont faits pour les fous dangereux, la pauvre Harriet est inoffensive. D'ailleurs, étant sans enfants moi-même, il ne me déplaît pas d'avoir à m'occuper de quelqu'un. Mais je ne dois pas vous monopoliser, David me ferait les gros yeux...

Elle sourit et s'éloigna au moment où son frère s'approchait de moi. Que ses yeux étaient éloquents ! pensai-je.

— Je reviens de chez Red Deakon, m'apprit-il. Il m'a promis de venir demain à la représentation si son travail le lui permet. C'est un homme qui ne vit que pour son entreprise. Elle a été fondée il y a deux cents ans par un autre Red Deakon. Depuis lors, l'affaire n'a cessé de prospérer. Ce sont les Deakon qui ont fabriqué tous les balcons de fer forgé du domaine — une commande du premier Bentine qui, à part cela, n'a guère touché au château. Malheureusement, tout ce qui est en fer souffre des ravages du temps, surtout dans un climat aussi maritime que celui du Kent. Les nôtres sont désormais à remplacer. Cela coûtera cher, évidemment. Mais Red Deakon nous consentira sûrement un prix d'ami — quand ce ne serait que pour ma sœur, pour qui il éprouve une véritable dévotion.

Il me semblait difficile de croire que l'argent pût poser des problèmes aux propriétaires d'un domaine comme celui-ci.

David Hillyard expliqua franchement :

— Voyez-vous, ma sœur se trouve dans une situation difficile parce qu'elle n'a jamais hérité officiellement du Bois de l'abbé. Lawrence Bentine était le fils aîné. Sa mort a causé un tel choc à son père que celui-ci a eu une attaque. Il a survécu un certain temps, mais il a été incapable d'établir un nouveau testament. S'il l'avait fait, il aurait sans aucun doute pris des dispositions plus avantageuses pour Claudia. L'opinion générale — amplement motivée, je vous assure — pense même qu'il n'aurait absolument rien laissé à son fils cadet, auquel cas Claudia serait devenue légalement la propriétaire du domaine. Jasper n'avait jamais donné de satisfactions à son père. Mais voilà : *Sir* William ne s'est jamais remis de son attaque, si bien que son testament n'a jamais été modifié.

— Et c'est le jeune frère qui a hérité ?

— Oui.

— Mais il a autorisé votre sœur à demeurer dans les lieux ?

— Pas exactement. Claudia est restée parce qu'en tant qu'épouse de Lawrence, le Bois de l'abbé était devenu son domicile légal. D'ailleurs, son beau-père aurait souhaité qu'elle vive ici. Il éprouvait beaucoup d'affection pour elle. Oh ! Jasper non plus ne se serait pas opposé à sa présence. Voyez-vous... il l'aimait, lui aussi.

Deux frères amoureux de la même jeune femme. L'un avait épousé la femme et avait hérité du patrimoine familial ; l'autre...

Etait-ce une raison suffisante pour tuer son frère ?

— Mais vous me semblez préoccupée, remarqua-t-il.

— Votre cousine m'a parlé de... l'accident...

— Ainsi, vous savez ?

— Est-ce vrai ?

— Oui. Vous savez sûrement comment fonctionnent les poignards de théâtre...

— La lame coulisse et rentre dans la manche ;

cela donne l'impression qu'elle pénètre dans le corps.

— Eh bien, en l'occurrence, le mécanisme a mal fonctionné. La lame a pénétré dans le cœur de la victime.

Je frissonnai. Combien de fois avais-je vu mon père faire vérifier et revérifier les accessoires, pour éviter tout accident possible ! Il s'assurait, toujours, quand on se servait d'armes réelles, que les lames des armes blanches étaient émoussées et que les percuteurs des armes à feu étaient limés. Mais des amateurs avaient pu prendre moins de précautions.

— Qu'est devenu Jasper Bentine ?

— Il a quitté la maison peu après l'enquête. On n'a jamais retrouvé sa trace. Il a été porté « disparu, et présumé décédé », il y a longtemps, mais rien ne prouve qu'il ne soit pas en vie quelque part. Il n'a jamais osé puiser dans le revenu du domaine, sans doute parce que cela aurait permis de retrouver sa trace, et il n'a jamais osé revenir non plus. Si bien qu'on ne peut s'empêcher de penser qu'il était bel et bien coupable, en dépit du verdict de l'accident. En s'enfuyant, il s'est pour ainsi dire condamné lui-même. Le malheur est qu'il a du même coup condamné Claudia à un triste sort. Heureusement, les exécuteurs testamentaires de *Sir* William ont réservé un fonds pour les grosses réparations et autorisé Claudia à puiser dedans, mais la valeur de ce fonds décroît avec le temps, naturellement, et il devient insuffisant pour les nombreux besoins du domaine. Nous en sommes là.

Le lendemain matin, je me réveillai assez tard. Ce fut des voix, un bruit de roues et de chevaux qui me tirèrent de mon sommeil. Intriguée, je courus pieds nus à ma fenêtre et restai saisie du spectacle qui s'offrait à moi...

Tout le monde avait entendu parler des réceptions grandioses données dans les châteaux de campagne, mais ceci dépassait tout ce que j'avais pu imaginer. Les voitures débouchaient dans l'allée en procession presque ininterrompue. Celles des invités s'arrêtaient devant l'entrée principale ; celles des domestiques et les bagages disparaissaient dans une cour intérieure. Chaque *gentleman* semblait avoir amené son valet de chambre, chaque dame, sa camériste personnelle et des montagnes de bagages. Je me demandai combien de fois par jour elles avaient l'intention de changer de vêtements.

Ces arrivées durèrent toute la matinée. David, quant à lui, s'était rendu à Folkestone chercher mon père.

Après avoir déjeuné de bonne heure avec le reste de la troupe, j'entrepris d'explorer un peu la propriété en commençant par l'orangerie, après quoi je passai à une roseraie encaissée, à laquelle on accédait par des marches de brique, à chaque extrémité. Une gloriette avait été construite dans un des angles.

Je m'assis dans cet endroit bien abrité sur un banc de pierre et, comme j'étalais mes jupes, je remarquai des mots gravés dans la pierre. Je me penchai et vis deux cœurs entrelacés, avec un *J* et un *C*. Une date était inscrite au-dessous : *16 juin 1880*. Ainsi, des amoureux s'étaient jadis juré fidélité en cet endroit. Inévitablement, deux noms me vinrent immédiatement à l'esprit : Jasper et Claudia. « Jasper l'aimait aussi », m'avait dit David. Mais il n'avait pas donné à entendre que cet amour avait été réciproque. Le fait que Claudia avait interdit toute nouvelle représentation de cette tragédie de Shakespeare semblait prouver qu'elle ne pouvait pas supporter ce rappel de la mort de son mari. Donc mon idée était stupide. D'ailleurs, une femme mariée n'aurait pas eu l'imprudence de permettre que son amant gravât leurs initiales ainsi entrelacées, si près de chez elle ! Non, décidai-je, ce « J » et ce « C » devaient représenter d'autres personnes.

Je quittai la gloriette et repris ma promenade.

Quand je revins au château, je rencontrai David, qui revenait de Folkestone : il était seul. Il m'expliqua aussitôt :

— Je crains que votre père ne soit parti sur une fausse piste, car le théâtre de Folkestone est fermé et en vente. Votre père a dû rebrousser chemin, et nous nous sommes certainement manqués en route...

— Pauvre père ! dis-je. Que de temps et de fatigue pour rien ! N'ayant pas de voiture, il aura probablement décidé de venir par le train.

— J'y ai pensé. Je me suis renseigné à la gare de Folkestone, et on m'a dit qu'il y avait un train pour Hythe une heure plus tard. J'ai donc attendu, espérant que votre père viendrait le prendre, mais je n'ai vu comme voyageurs qu'un couple âgé. J'ai interrogé les employés de la gare et il semble que personne qui ressemble même de loin à votre père n'ait pris un train plus tôt.

Je fus surprise de voir qu'il s'était donné tant de mal pour vérifier les mouvements de mon père ; encore que cette conscience minutieuse me parût bien en accord avec son caractère. Je ne pus que le remercier et assurer, avec une confiance que j'étais loin de ressentir, que mon père arriverait à temps, car il n'avait jamais été en retard à une représentation. Mais, en montant à ma chambre, mon inquiétude était grande...

Nous n'étions plus qu'à deux heures du lever du rideau. Après la représentation, une réception serait donnée pour les invités habitant au château et pour les membres de la troupe. Que se passerait-il si mon père n'arrivait pas ? Une doublure pourrait prendre sa place, certes, mais cela causerait du tort à la réputation de Charles Coleman. Je me rappelais avec un malaise croissant sa répugnance à accepter cet engagement, mais ce qui m'inquiétait surtout, c'était la nouvelle de la fermeture du théâtre de Folkestone. Je ne pouvais croire que mon père n'en eût rien su. Un journal de théâtre que tous les membres de la profession lisaient assidûment, annonçait régulièrement ce genre de nouvelles. Elizabeth Lorrimer avait déclaré que mon père manigançait quelque chose, et je commençais à me dire qu'elle pouvait bien avoir raison...

Un bruit, dans la chambre voisine, attira mon attention. C'était une toux, une toux familière. Je courus à la porte de communication, l'ouvris vivement et, stupéfaite, regardai mon père. Installé devant son miroir, il s'appliquait à son maquillage.

— Papa ! Quand es-tu arrivé ? Personne ne m'avait dit que tu étais ici !

— Parce que personne ne m'a vu. J'avais loué une voiture, pour venir ici, estimant que le directeur des Baladins méritait une arrivée de grand style ; malheureusement, je suis passé absolument inaperçu.

Il me fit un sourire complice, qui dissipa d'un coup mon anxiété. J'aurais dû savoir que je pouvais compter sur lui. Il ne m'avait jamais déçue.

— Comme la cour d'honneur était bloquée par les voitures, reprit-il, je suis passé par l'entrée de l'aile est. Tu m'avais dit que c'était là que nous serions logés, et elle est facile à trouver. Je n'ai eu qu'à consulter la girouette, sur le toit de l'écurie... J'ai été content d'éviter les gens. J'étais fatigué.

Son maquillage était déjà bien avancé mais je m'aperçus en effet qu'il avait l'air plus que fatigué. Il paraissait tendu, aussi.

— Comment as-tu trouvé ta chambre ?

— J'ai rencontré Clancy. Il s'inquiétait de mon retard et avait déjà déposé mon costume sur le lit et déballé mes affaires.

— Ce n'est pas Clancy qui a défait tes bagages. C'est Truman.

Mon père, qui promenait le bâton de crayon gras du nez à la bouche, arrêta son geste à mi-chemin.

— Truman ? répéta-t-il.

— C'est un vieux domestique. Je l'ai vu examiner ta vieille valise comme s'il n'avait encore jamais rien vu de pareil !

— J'ai une affection extrême pour cette valise,

et je ne m'en dessaisirai jamais même si elle doit continuer à te faire honte.

— Tu ne pourrais jamais me faire honte, papa !

Je lui jetai les bras au cou, malgré son maquillage, et il me serra contre lui.

— Tu sais, dis-je, je regrette beaucoup que tu joues Caliban. Je suis toujours si fier de toi, quand tu es en scène. Tu es si beau !

— Je préfère que tu sois fière de mon jeu, plutôt que de mon physique, ma chérie, répliqua-t-il, taquin. Mais tu verras, ce soir. Mon Caliban pourrait bien te surprendre. Je suis tout de même autre chose qu'une idole de pacotille, et il serait temps que les gens s'en rendent compte — toi compris, ajouta-t-il malicieusement.

Un coup léger fut frappé à la porte.

— Ce doit être George, dit mon père. J'ai dit à Clancy de me l'envoyer. Entrez !...

Ce n'était pas George Mayfield. C'était David Hillyard, soigné et serein, comme toujours.

— Votre habilleur m'a dit que vous étiez arrivé, monsieur Coleman. Je suis désolé de vous avoir manqué sur la route.

La main de mon père s'immobilisa à mi-chemin de son visage, le crayon à maquillage suspendu en l'air. Je regrettai que, pour ce premier contact avec David Hillyard, il apparût ainsi à moitié déguisé en monstre, et non sous sa forme naturelle, avec sa prestance coutumière. Puis il laissa tomber le crayon dans sa boîte à maquillage et prit la main tendue de David.

— Sur la route ? répéta-t-il.

— Quelque part entre Folkestone et ici, j'imagine. A partir de Sandgate, il y a deux chemins qui mènent au Bois de l'abbé ; nous avons probablement pris chacun le nôtre. Je m'appelle David Hillyard. Je pense que votre fille vous aura parlé de moi.

— Certes, certes... Mais pourquoi dites-vous que vous m'avez manqué sur la route ?

— Monsieur Hillyard est allé te chercher, papa. Il a parcouru tout ce chemin, jusqu'au théâtre de Folkestone, en fin de matinée.

Mon père ne répondit pas.

— J'imagine que vous vous étiez rendu là-bas à tout hasard, dit David. Vous avez dû éprouver une certaine déception lorsqu'en arrivant à Folkestone, vous avez trouvé le théâtre fermé. Ces pancartes « à vendre » me semblent pourtant être là depuis pas mal de temps. Si j'avais connu vos projets, j'aurais pu au moins vous épargner cette nuit passée à Folkestone. Vous auriez pu venir ici hier comme prévu, et nous nous serions rendus à Folkestone ce matin. De cette façon, vous n'auriez perdu qu'une heure ou deux.

— J'apprécie vos attentions, mais il se trouve que je n'ai pas perdu mon temps et que je n'ai pas eu à me chercher de logement. Je ne me suis pas non plus rendu là-bas à tout hasard. Je n'ai d'ailleurs pas eu besoin d'aller au théâtre, car son nouveau propriétaire m'a logé, et nous avons pu traiter nos affaires chez lui. C'est un hôtelier, le patron du *Metropole,* qui tente pour la première fois sa chance au théâtre. Il veut faire de ce théâtre une salle de premier ordre. C'est par là que nous commencerons notre tournée d'hiver, à la fin d'octobre.

— Magnifique ! s'écria David. Cela veut dire que vous reviendrez dans notre région !

Il avait parlé pour mon père, mais c'était moi qu'il regardait.

— Mais je ne veux pas vous déranger plus longtemps, reprit-il. J'imagine que votre maquillage exige beaucoup de concentration. Ma sœur attend avec impatience de faire votre connaissance après la représentation, ainsi qu'un grand nombre de nos invités.

Mon père ne répondit pas. David s'en alla. Dans le miroir, mon père me surveillait d'un œil attentif.

— Tu t'es prise d'un penchant pour cet homme, Aphra. Pourquoi ?

— Pourquoi pas ? éludai-je. Il est charmant, très aimable. Tu ne peux savoir la gentillesse avec laquelle sa sœur et lui m'ont accueillie, alors que rien ne les y obligeait, vraiment. J'ai exploré le domaine et... Oh ! papa, si tu voyais comme c'est beau ! As-tu jamais résidé dans une telle propriété ? Dormi dans une chambre comme celle-ci ? Et attends d'avoir vu la mienne !

— Ne fais pas trop de cas de tout cela, mon enfant ! Ce monde nous est totalement étranger.

— Mais peut-être serons-nous invités à nouveau, dis-je, rêveuse, quand nous jouerons à Folkestone, en octobre prochain.

— Nous verrons, dit mon père.

Son ton ne me laissait aucune illusion. Je

savais qu'il ferait en sorte que nous ne le fussions pas. Soudain, je m'emportai.

— Pourquoi te conduis-tu ainsi, papa ? Pourquoi ne voulais-tu pas venir ici ? Pourquoi as-tu essayé d'éviter monsieur Hillyard ?

— Je ne suis pas venu ici pour faire des ronds de jambe. Je suis là pour jouer, et je jouerai — mais rien de plus. Et cela s'applique à toi aussi. Quand nous quitterons cette maison, je désire que tu oublies même que tu t'en es jamais approchée.

— Comment le pourrais-je ? C'est une propriété magnifique ! Pour moi, c'est une vision d'un autre monde...

— Exactement, et j'entends bien que cela le reste. Nous partirons tôt demain matin. Il y a un train à huit heures pour Folkestone, avec correspondance pour Londres.

J'étais trop médusée et consternée pour répondre. Mes mains tremblaient tant que je parvenais à peine à les maîtriser ; mon père s'en empara avec fermeté.

— Cela t'arrive-t-il vraiment de rêver à une vie bourgeoise ? demanda-t-il gentiment. Je n'avais jamais pensé, jamais soupçonné...

— Excuse-moi, papa, mais comment pourrais-je m'en empêcher ? Comment pourrais-je ne pas rêver quand je vois la façon dont certaines personnes vivent ? J'ai toujours eu envie d'une existence différente de la nôtre.

Je sanglotais, maintenant. J'essayai de me ressaisir. Les bras de mon père m'entourèrent gentiment.

— Ma chère enfant ! Ma chère, chère enfant !

C'était un cri désespéré, une sorte d'aveu d'impuissance. Je m'accrochai à lui.

— Essaie de comprendre, papa, suppliai-je. Je n'ai jamais rêvé d'une demeure comme celle-ci. Mais, maintenant que je l'ai vue, je ne peux pas en imaginer qui soit plus désirable.

Il m'écarta — peut-être parce qu'il avait entendu un autre coup frappé à la porte.

Ce n'était toujours pas George Mayfield. Cette fois, c'était le maître d'hôtel à cheveux blancs, qui apportait une bouteille sur un plateau.

— On m'a prié de vous monter ceci, monsieur, dit-il. Désirez-vous que je vous serve un verre immédiatement ?

Cette attention était typique de David Hillyard. Je me sentis encore plus indignée de la façon dont mon père l'avait évité et de la froideur avec laquelle il avait répondu à sa courtoisie. Et voilà maintenant que mon père jetait à peine un coup d'œil au domestique !

Le vieil homme posa le plateau et s'en alla. Je me dirigeai vers ma porte, annonçant froidement qu'il était temps que je me prépare. Comme j'arrivais à ma porte, j'entendis un bruit de verre entrechoqué. Je me retournai et je fus surprise de voir avec quelle violence la main de mon père tremblait. Il but un grand verre de vin, comme s'il avait besoin de recouvrer quelque force !

— Papa ! Tu n'es pas bien ! m'écriai-je.

— Fatigué, ma chérie. Fatigué, simplement. La tournée a été longue, exténuante. Quelques jours de repos à la maison et il n'y paraîtra plus. Plus tôt nous y serons, mieux cela vaudra, pour nous deux...

— Votre père ne me semble pas dans son assiette, ce soir, mademoiselle Aphra, me chuchota Barney, entre deux entrées. Il n'est pas lui-même, pas lui-même du tout !

Je ne pouvais rien faire d'autre qu'espérer que les acteurs seraient les seuls à se rendre compte de la mauvaise prestation de mon père.

Ce fut pendant le premier entracte qu'il commença à se plaindre de la soif. Il but un peu du vin que Clancy lui apporta de sa chambre. Cela ne l'empêcha pas, ensuite, de continuer à hésiter, à dire parfois ses vers de façon peu distincte. Les autres acteurs comprirent vite qu'il leur faudrait l'aider pendant toute la représentation et, avec la loyauté et la générosité des gens de théâtre, ils s'y employèrent tous à fond. On couvrit ses trous de mémoire, on déguisa habilement ses erreurs de mouvement, si bien que toutes ses gaucheries purent passer pour des gestes voulus, propres au personnage de l'esclave stupide. Pour la première fois, je fus heureuse que ce fût George qui jouât Prospero. Je n'aurais pas pu supporter de voir mon père offrir une prestation inférieure dans ce rôle.

Mon anxiété ne m'empêchait pas d'être très sensible au cadre dans lequel nous jouiions, à l'assistance éblouissante. Je reconnus David Hillyard, assis au premier rang, sa sœur, suprêmement élégante, et la pauvre Harriet, toujours aussi curieusement vêtue. Un peu plus loin, se trouvait Red

Deakon, cette tête rousse qu'on ne pouvait confondre avec aucune autre. Il regardait avec attention, les bras croisés.

Durant tout le spectacle, je me demandais si David me trouvait aussi bonne ce soir que lors des représentations auxquelles il assurait m'avoir déjà vue. C'était terriblement important pour moi.

Avant le dernier acte, Clancy vint me trouver, préoccupé. Il n'avait pas trouvé mon père dans sa chambre comme prévu.

Nous le cherchâmes ensemble, et ce fut moi qui le découvris dans le jardin, assis dans la gloriette, la tête abandonnée contre le dossier du banc de pierre, les yeux dans le vague. J'eus l'impression qu'il lui fallut une bonne minute pour me voir enfin et comprendre qui j'étais.

Je demandai à Clancy d'apporter le café dans le jardin et, quand il arriva, mon père et moi le bûmes ensemble, en silence. Puis nous retournâmes vers l'écran d'arbres qui servait de coulisses, pour attendre nos entrées, toujours sans parler. L'apathie de mon père me disait que, ce soir, il n'y aurait pas de salut final pour nous deux. Je devinai qu'il laisserait nos camarades se présenter comme ils l'entendraient à la lueur vacillante de la rampe, au bord de cette scène de gazon. Je serais avec eux, ne prenant pas plus que mon dû des applaudissements. Des applaudissements dont Caliban ne se soucierait guère, ce soir, certainement.

J'avais raison. Mon père, grave et sans sourire, ne parut qu'à un seul rappel. Quand un peu plus tard, je le rejoignis, je le trouvai adossé à un arbre, tout à fait dans l'ombre.

— Dieu merci, c'est terminé, dit-il, las. Il faudra nous lever de bonne heure, demain, Aphra, pour quitter ces lieux.

Je fus amèrement déçue.

— Pourquoi as-tu tant d'aversion pour le Bois de l'abbé, papa ? demandai-je tristement. Comment peux-tu ne pas aimer une propriété aussi magnifique ?

Peut-être était-ce à cause du hideux maquillage de Caliban, mais j'avais l'impression que ce n'était pas à mon père que je parlais.

Barney apparut.

— Ils vous demandent, monsieur Coleman. Monsieur Hillyard voudrait que vous prononciez quelques mots.

— Non, pas de discours ! Pas moi, en tout cas !

Je n'avais jamais vu mon père aussi catégorique.

— Mais c'est monsieur Hillyard qui m'a envoyé vous chercher, monsieur ! Vous ne les entendez donc pas applaudir ? Mademoiselle Lorrimer et monsieur Mayfield sont en scène, et ce sont eux qui récoltent tous les applaudissements...

— Tant mieux ! C'est Prospero que le public applaudit, ce n'est pas moi. C'est la soirée de George, et je suis heureux de la lui laisser. Alors, qu'il prononce un discours, si cela lui chante !

Mon père fit brusquement demi-tour et se dirigea vers la maison. Je le suivis, déçue. Certes, il avait raison de vouloir se coucher tôt, puisqu'il ne se sentait pas bien, mais je trouvais injuste d'être privée des festivités qu'on avait annoncées.

Nous fûmes arrêtés par Truman au moment où nous entrions dans le château. Le maître d'hôtel nous accueillit, à la tête d'une rangée de domestiques, une bouteille de champagne à la main. Il regardait mon père avec une attention presque gênante, qu'expliquait sa myopie.

— Je me permets de penser que vous serez heureux de vous rafraîchir, après la façon dont vous vous êtes dépensé en scène, monsieur, dit-il.

Mon père écarta cette offre d'un geste, se contentant de remercier d'un signe de tête. Gênée, j'acceptai immédiatement un verre. J'avais bien l'impression que le vieux serviteur était blessé. Ses yeux délavés étaient tournés vers mon père, avec une expression de chien battu. Je fis un effort pour compenser l'indifférence de mon père et je demandai à Truman depuis combien de temps il était au Bois de l'abbé.

— Oh ! cela fait bien longtemps, mademoiselle. J'ai commencé quand j'étais tout petit, comme garçon de courses. C'était du temps du défunt *Sir* William. Mon père était garde-chasse, dans le domaine, et nous habitions un cottage, en bordure des bois. Mais mon grand-père était déjà employé ici comme cocher.

— C'était du temps du *gentleman* qui élevait des aigles ?

— Ah ! vous avez entendu parler de cette histoire ? C'est madame Stevens, certainement, qui vous l'a racontée. Elle ne veut pas admettre qu'il vaudrait mieux ne plus en parler.

— Parler de quoi ?

— Eh bien, de l'erreur qui avait été commise,

pour ces aigles. Je ne cesse de lui répéter que l'on ferait mieux d'oublier carrément ce genre de choses, mais madame Stevens aime bien les commérages. Dommage qu'une aussi bonne intendante ait ce vilain défaut...

— De quelle erreur voulez-vous parler, pour les aigles ? Vous voulez dire qu'il était contre nature de les élever en captivité ?

— Exactement, mademoiselle. Des aigles en captivité ne peuvent pas faire autrement que de devenir enragés, disait mon père. Et il s'est avéré qu'il avait raison. Vous savez, cet aigle royal était d'une taille monstrueuse, absolument monstrueuse. C'est pour cela qu'on l'avait appelé le roi. En fin de compte, il aurait mieux valu l'appeler l'assassin.

Je sursautai.

— Vous voulez dire... Vous voulez dire qu'il a attaqué quelqu'un ?

— Il a tué son maître, mademoiselle ! Avec ses serres... Ça a été terrible. Madame Stevens ne vous l'avait pas dit ? Mon Dieu, si j'avais su ! Je suis désolé.

Les épaules voûtées se soulevèrent et retombèrent dans un mouvement résigné.

— Elle aime bien en parler, alors j'ai cru tout naturellement qu'elle vous avait tout raconté, à vous aussi...

Je m'empressai de rassurer ce vieil homme, et après avoir pris poliment congé, accompagnai mon père jusqu'à sa chambre.

Il semblait épuisé, et Clancy dut l'aider à retirer son maquillage de scène. Quand il en fut débarrassé, je fus saisie de la pâleur de son visage. Il se plaignait maintenant tout à la fois de nausées et de la soif. Je le persuadai de renoncer au vin et de boire de l'eau. Je remarquai qu'il ne restait pas grand-chose de la bouteille et, je me dis que, si celle-ci restait dans sa chambre, il la finirait, sans aucun doute. Alors, discrètement, je l'enlevai et vidai le reste du vin dans le lavabo de la salle de bains. Puis j'embrassai mon père et gagnai ma chambre, avec l'intention sournoise d'attendre qu'il s'endormît pour rejoindre tous les acteurs à la réception...

Je m'arrêtai sur la galerie qui surplombait le grand hall, et contemplai le spectacle qui s'offrait à moi. Un quatuor à cordes avait été installé sur une estrade, et tout le reste du hall n'était qu'un immense tourbillon de mouvements et de couleurs. Jamais je n'eusse imaginé une telle opulence, une telle élégance, une telle richesse !...

Elizabeth Lorrimer valsait dans les bras d'un *gentleman* d'allure très militaire qui s'était visiblement pris de goût pour elle. Quant à George Mayfield, il était entouré d'un groupe d'admiratrices.

Et soudain, je vis un homme roux planté, les bras croisés, au pied de l'escalier. La tête levée, il me regardait.

C'était la seconde fois qu'il me prenait ainsi par surprise. Je compris immédiatement qu'aucun détail de mon expression ne lui avait échappé ; il savait que j'étais littéralement fascinée. Comme la première fois, je reculai brusquement, cherchant l'ombre de la galerie.

Mais il monta vers moi. Je le vis apparaître sur le palier. Je ne pouvais pas m'échapper.

— Cendrillon ne descend donc pas au bal ? demanda-t-il. Je vous en prie, permettez-moi de vous accompagner. Vous n'avez aucune crainte à avoir, même si, comme moi, ce monde vous est inconnu.

— Vous ? dis-je. Mais vous appartenez à ce monde !

— Pas du tout ! J'y suis admis, simplement. Ce n'est pas du tout la même chose. Je n'y suis pas né, pas plus que vous, mademoiselle Coleman. Les Deakon se sont fait un nom, ici, dans le Kent, mais cela ne suffit pas à nous faire accepter. Notre entreprise familiale a été fondée il y a bien des années par mon ancêtre qui a pensé pouvoir faire autre chose que des fers à cheval. Il n'avait pas plus d'éducation que ses ancêtres ; il ne savait ni lire ni écrire, pas même signer son nom. Néanmoins, il a fondé les Forges Deakon.

Mon intérêt était éveillé.

— Vous devez être très fier de lui ? dis-je.

— Bien entendu. Les Deakon ont toujours été fiers de cet ancêtre. C'est lui qui nous a transmis son savoir.

Il tendit ses mains. Je vis qu'elles étaient fortes et calleuses.

— C'était il y a six générations, mademoiselle Coleman. Aujourd'hui, la fonderie Deakon est la première de tout le Kent, et au-delà. Et elle le restera tant qu'il y aura un Deakon pour travailler en compagnie de ses ouvriers. Ces mains sont celles d'un forgeron, mademoiselle : ce ne sont pas des mains d'un *gentleman.*

— Tout de même, vous êtes habitué à fréquenter ce monde depuis votre naissance. C'est pour cela que vous pouvez vous offrir le luxe de le mépriser.

— Aujourd'hui, nous autres Deakon et nos pareils, nous sommes acceptés dans le grand monde, parce que nous avons de l'argent — même si certains continuent à considérer comme une tare de savoir faire de l'argent, au lieu de se contenter d'en hériter.

— Cette évolution marque peut-être la fin d'une hypocrisie ?

— Ou le commencement d'une espèce différente d'hypocrisie, car si l'entreprise Deakon faisait faillite demain, les portes de la bonne société se refermeraient devant moi.

Il fit un geste vers la salle de bal, au-dessous de nous.

— Regardez un peu les gens qui sont ici, mademoiselle. Ils n'ont pas plus de réalité que des marionnettes. Ils sont esclaves de la mode non seulement par leur costume, mais pour leur moralité. On pourrait compter sur les doigts d'une main les femmes dont les bijoux ont été offerts par leur mari, mais il y a ici trop de femmes qui dansent avec leur amant et non pas avec leur mari pour qu'on songe même à les dénombrer. Dans ce qu'on appelle la bonne société, les maris ferment les yeux sur les liaisons de leurs femmes, du moment que cela peut leur rendre service.

— Vous êtes vraiment cynique, monsieur Deakon.

— Réaliste, simplement, mademoiselle. Mais je vois David Hillyard qui monte vous chercher. Dommage ! J'étais sur le point de vous demander de m'accorder une danse. Mais je suis certain que vous préférerez danser avec un *gentleman* plutôt qu'avec un forgeron.

Il s'inclina ironiquement devant moi et s'en alla. Fréquemment, pendant la soirée, je le vis danser avec Claudia Bentine, mais je n'eus plus de conversation avec lui avant de quitter le Bois de l'abbé, et j'en fus heureuse. Il avait vraiment l'art de me mettre mal à mon aise, l'art aussi de me faire comprendre qu'il voyait clair en moi et qu'il s'en amusait.

Je ne revis David qu'un court moment avant notre départ, le lendemain matin. Il descendit dans la cour pour nous saluer, un panier et une couverture dans les bras.

Au moment où nous montions dans la voiture, il remercia mon père d'avoir accepté de venir au Bois de l'abbé.

— Je vous en suis d'autant plus reconnaissant, précisa-t-il, que cela a dû vous coûter personnellement. Je sais que vous êtes assez fatigué. J'espère que vous trouverez dans ce panier de quoi vous soutenir pendant votre voyage.

Mais il me laissa partir sans rien me dire de personnel. Il n'exprima pas l'espoir d'une prochaine rencontre et il ne répéta pas non plus sa résolution de ne plus me laisser sortir de sa vie. Je quittai le Bois de l'abbé, convaincue que ses déclarations n'avaient été qu'une flatterie momentanée, vite oubliée. Je me sentais indiciblement triste et je ne me retournai pas pour regarder une dernière fois le château avant qu'au détour de l'allée, il ne disparût à ma vue. Mais, quand nous passâmes sous l'arche de pierre qui encadrait le grand portail, je levai les yeux vers l'aigle sculpté. Assez curieusement, cette tête ne me paraissait plus menaçante. Fière, simplement.

Nous voyagions en avance sur le reste de la troupe. Quand la voiture nous déposa à la gare de Folkestone, je me demandai si mes camarades étaient seulement levés.

Pendant le voyage, mon père se plaignit à nouveau de nausées. Il ne put pas manger grand-chose des provisions qui se trouvaient dans le panier, mais il but un peu de vin. Après cela, il somnola.

Je fus contente quand nous arrivâmes enfin à la maison de Pimlico où nous occupions un appartement, au dernier étage.

Une fois sur le perron, j'entendis mon père grommeler :

— Voilà qui est bizarre, très bizarre ! Je sais que je les avais... j'étais sûr de les avoir !

Il fouillait ses poches, à la recherche de ses clés. Je me rappelai les avoir vues sur sa coiffeuse pendant qu'il se maquillait en Caliban. Il avait automatiquement vidé les poches de son complet avant de se changer pour mettre son costume de scène. Je le lui rappelai, ajoutant qu'il les avait sûrement reprises et les retrouverait plus tard. Je tirai de mon réticule la clé qui avait été celle de ma mère, heureuse que mon père eût eu l'esprit assez large pour permettre à sa fille d'avoir sa clé avant l'âge de vingt et un ans, alors que les convenances l'interdisaient généralement.

Après la grandeur du Bois de l'abbé, l'appartement me sembla exigu, indigne d'un directeur de troupe.

Mon père, quant à lui, poussa un soupir de soulagement en entrant dans l'appartement, comme s'il avait craint de ne jamais le revoir.

Il s'appuya sur moi quand nous passâmes dans le salon et se laissa tomber lourdement dans son fauteuil préféré, devant la cheminée victorienne. La petite pièce me semblait soudain étouffante, une véritable prison. Je défis mes épingles, me débarrassai de mon chapeau et passai dans la cuisine pour faire du thé. Je mis la bouilloire sur le feu, puis gagnai ma chambre minuscule pour défaire mes bagages. Je me rendais compte que l'appartement tout entier aurait tenu dans les deux chambres que nous avions occupées au Bois de l'abbé, mon père et moi.

Le Bois de l'abbé... Mes pensées ne cessaient d'y revenir. J'y pensais en m'occupant du thé et en cherchant à tout hasard des biscuits — pour, inévitablement, trouver la boîte vide. Je déballai le reste du panier de David. Le pâté de gibier ne convenait guère, pour accompagner le thé de l'après-midi, mais cette marmelade de groseilles à maquereau tenterait peut-être mon père. J'ouvris le pot et remplis une petite jatte que je posai sur le plateau. Je portai le thé dans le salon. Mon père m'accueillit avec un sourire.

— Comme c'est bon d'être chez soi, Aphra ! Il faudra décidément que nous trouvions un théâtre permanent proche de Londres pour les Baladins de Thespis, car je n'ai plus la moindre envie de repartir en tournée !...

Quand j'eus bu une tasse de thé et installé mon père avec un livre, je sortis faire quelques courses. Les rues de Pimlico et leur cohue m'oppressèrent. Je pensai à l'air embaumé du Bois de l'abbé et à l'immensité de son parc, je ne pouvais pas m'empêcher de les comparer, avec amertume, aux maisons vétustes de Londres.

A mon retour, je trouvai mon père endormi. Son livre était tombé à terre. La bouteille de vin provenant du panier et un verre vide trônait sur la table à côté de lui. J'élevai la voix pour gronder mon père, mais il ne bougea pas. Alors, je fus prise d'une certitude terrifiante. Son immobilité avait une rigidité, bien différente de la pose abandonnée d'un homme qui dort d'un sommeil naturel.

CHAPITRE IV

— Nous serions heureux, Mabel et moi, de vous accueillir chez nous aussi longtemps que vous voudrez, mademoiselle Aphra, me dit gentiment Barney.

Ses yeux étaient pleins de sollicitude ; il me parlait d'une voix gentille. Depuis la mort de mon père, mes amis ne cessaient de m'entourer.

« Une défaillance cardiaque ! avait conclu le vieux médecin de famille. Je suis persuadé que votre père se surmenait. Tout de même, je n'aurais pas cru qu'un homme de son âge... Mais je ne vois aucun autre symptôme, absolument aucun. Quand vous m'avez parlé de ses nausées, de sa soif et de sa fatigue, j'avais pensé à une intoxication alimentaire, mais les analyses que j'ai fait faire ne l'ont pas confirmée... »

Oppressée par le chagrin, j'écoutai distraitement Barney me parler de l'avenir de la troupe.

— Il va falloir que nous parlions de votre avenir, mademoiselle Aphra, et de celui des Baladins, aussi, disait-il. Je crois que je pourrai me tirer d'affaire, pour tout. Votre père me laissait m'occuper d'un tas de choses, si bien que j'ai une assez bonne idée de la situation. Mais, bien sûr, ça va être une cruelle épreuve pour vous de trier toutes ses affaires personnelles...

Réconfortée par la gentillesse de Barney, je m'installai avec lui et m'occupai de trier les documents relatifs à la troupe dans la masse des papiers sans grand intérêt accumulés par mon père au fil des années : coupures de presse, programmes de théâtre, vieilles photographies, cette masse de souvenirs de pacotille que les acteurs traînent presque toujours avec eux.

En m'attardant ainsi sur ces paperasses, j'éloignai simplement le moment où je devrais trier les affaires plus personnelles de mon père, ces choses intimes que je ne pouvais confier ni à Barney ni à personne d'autre.

On frappa à la porte alors que nous étions noyés dans une masse de papiers, cernés de dossiers empilés par terre, occupés à trier le contenu des tiroirs renversé en tas sur la table devant nous.

— Je vais voir ce que c'est, dit Barney. Comptez sur moi pour vous débarrasser des gens qui voudraient vous importuner.

Je feuilletais, malheureuse, de vieux programmes de théâtre, quand il revint. Il ouvrait de grands yeux.

— C'est le *gentleman* du Bois de l'abbé, mademoiselle Aphra ! Monsieur Hillyard !

David suivait, sur ses talons. Il entra à grands pas, les deux mains tendues, balbutiant quelques mots qui trahissaient son émotion.

— Je ne peux vous dire l'effet que cette nouveille m'a causé. C'est une femme, au rez-de-chaussée, à qui je m'étais adressé pour savoir à quel étage vous habitiez, qui m'a appris le drame.

Derrière lui, Barney, remis de sa première surprise, s'interrogeait visiblement sur le motif de cette visite.

— Si vous êtes venu pour formuler une autre offre aux Baladins, monsieur, je peux m'en occuper. Nous continuons comme avant.

— Une autre offre ? Ma foi non, monsieur... euh ?...

— Wills. Barney Wills. J'étais le régisseur de monsieur Coleman.

Barney paraissait un peu vexé de voir que David Hillyard ne le reconnaissait pas. Mais celui-ci lui serra la main avec une amabilité qui lui rendit sa bonne humeur.

— En effet, je me souviens parfaitement de vous. C'est un plaisir de vous revoir. Je suis heureux que mademoiselle Coleman ait auprès d'elle quelqu'un sur qui elle peut compter. Mais je n'étais pas venu parce que j'envisageais un nouvel engagement. Je passais simplement, à tout hasard...

Il sortit un trousseau de clés de sa poche.

— Comme j'avais à faire à Londres, je me suis dit que je pourrais aussi bien venir vous les remettre personnellement. Ces clés pouvaient vous manquer.

Je me demandais comment il avait trouvé notre adresse, mais il expliqua, de lui-même :

— C'est le directeur du théâtre de Canterbury qui m'a communiqué votre adresse. Je me suis renseigné auprès de lui pensant qu'il avait dû correspondre avec votre père quand il avait engagé les Baladins de Thespis. Je... je suis profondément désolé pour vous, mademoiselle Coleman.

— C'est très gentil à vous de me rapporter ces clés, monsieur Hillyard. J'espère que vous ne vous êtes pas dérangé uniquement pour cela ? Je suis très contente de les avoir, en effet...

Ne sachant que dire d'autre, j'ajoutai :

— Vous prendrez bien une tasse de thé ?

— Non, merci. Mais vous semblez fatiguée, et une tasse ne vous ferait sûrement pas de mal à vous-même. Si vous voulez me permettre... Je suppose que cette porte mène directement dans la cuisine ? Cela vous surprendra peut-être, mais je m'y connais pour préparer le thé. Vous en prendrez bien une tasse aussi, monsieur Wills ? Je vois que vous avez beaucoup travaillé, tous les deux.

Barney fut aussi étonné que moi quand David Hillyard jeta son chapeau et ses gants sur une chaise et, sans demander la permission, disparut dans la minuscule cuisine.

— Eh bien, on peut dire qu'il fait comme chez lui ! marmonna Barney, avec un mélange de désapprobation et d'admiration. Je suppose qu'il agit ainsi par gentillesse.

— Je considère que c'est extrêmement gentil de sa part, en effet, mon cher Barney. Et une tasse de thé sera certainement la bienvenue. Cela vous fera du bien, à vous aussi, j'en suis sûre.

Barney jeta un coup d'œil au gros oignon accroché à la chaîne qui barrait son gilet.

— Dame, six heures déjà ! Je ne puis rester davantage, car ma femme doit m'attendre...

— Je ne m'étais pas rendu compte qu'il était si tard, Barney. Je vous en prie, ne vous croyez pas obligé de rester. Je ne voudrais pas vous déranger...

— Ça ne vous ennuie pas si je vous laisse... toute seule, mademoiselle ?

Je souris en comprenant qu'il se faisait du souci à l'idée de m'abandonner dans l'appartement avec un homme que je connaissais depuis fort peu de temps. Il n'avait aucune inquiétude à avoir. J'avais senti dès le premier jour que je pouvais me fier à David Hillyard.

Quand Barney fut parti, David me regarda tranquillement boire mon thé, après quoi il remporta le plateau à la cuisine. Je n'avais pas imaginé qu'un homme qui occupait sa position pût s'occuper lui-même d'aussi petits détails ménagers. C'était un nouvel aspect de sa personnalité et, dans un sens, cela le rendait plus sympathique encore. Puis il s'offrit à m'aider à mettre de l'ordre dans mes papiers, puisque Barney s'en était allé. Il remarqua mon hésitation et ajouta :

— Je sais que j'aborde un sujet pénible mais, avez-vous déjà examiné les affaires personnelles de votre père ?

Je hochai négativement la tête et poussai un léger soupir.

— Il ne doit pas avoir laissé grand-chose, expliquai-je. Tout ce qu'il avait d'un peu personnel doit se trouver dans ce coffret à documents. Heureusement que vous m'avez rapporté ses clés. Je n'aurais pas pu ouvrir le coffret, sans cela.

Il s'offrit à me descendre la lourde boîte, et je l'ouvris avec appréhension.

Le coffret ne semblait contenir qu'assez peu de choses. Sur le dessus, je trouvai des photographies de ma mère. Elle était seule, sur certaines, avec mon père, sur d'autres, ou avec moi, à diverses époques de mon enfance.

Mes yeux s'embuèrent, et je distinguai au travers d'un brouillard un paquet de lettres attachées par un lacet de soulier en soie blanche — d'un soulier de ma mère, sans aucun doute, car les lettres étaient d'elle, aussi : je reconnaissais son écriture. Je les mis de côté. Les larmes m'aveuglaient, maintenant. J'entendis la voix de David :

— Laissez-moi donc le reste, Aphra. C'est trop désolant pour vous.

J'obéis, parce que j'étais trop lasse et trop tendue pour avoir encore la moindre volonté. J'abandonnai le coffret et allai m'installer dans le fauteuil de mon père, devant la cheminée, les mains serrées sur les tristes souvenirs que j'avais découverts. David se chargea de vider le coffret des papiers qui restaient : quelques titres qui avaient perdu leur valeur, des documents concernant ses droits sur les Baladins de Thespis et quelques contrats pour des rôles qu'il avait eus avant de créer sa propre troupe. Rien d'autre. Aucune trace de testament.

Le fait que mon père était décédé sans laisser de testament n'avait aucune importance, m'assura David. Comme j'étais toute la famille qui lui restait, le peu de bien qu'il avait me reviendrait automatiquement. David se montra compatissant, compréhensif, presque paternel. Je lui dis que George Mayfield prendrait très probablement la succession de mon père à la tête de la troupe et que je continuerais à en faire partie.

— Vous voyez que je n'ai aucune inquiétude à avoir.

David se faisait tout de même du souci pour moi. Il se désolait de voir que la mort de mon père me laissait dans une situation matérielle très précaire.

Le crépuscule était tombé quand nous eûmes terminé. J'ignorais ce que David avait eu l'intention de faire à Londres mais, balayant toutes mes objections, il insista pour m'emmener dîner.

Durant le repas, il me parla seulement de mon avenir.

— C'est une vie entièrement nouvelle qui va commencer pour vous, Aphra, conclut-il. Il faut d'abord bien vous reposer. Ensuite, le mieux serait de vous éloigner d'ici. Vous y avez trop de souvenirs. C'est dit : je vous ramènerai avec moi au Bois de l'abbé. Je passerai vous prendre à dix heures, demain matin. Ne discutez pas !

Comme précédemment, tout était prêt, décidé. Il avait réponse à toutes les objections !

Assise dans la gloriette, je regardais Claudia venir vers moi. Elle portait une robe de soie bleu clair garnie de volants, et la soie froufroutante entourait ses chevilles d'un nuage bleu qui dansait au rythme de ses pas.

— Vous avez déjà meilleure mine, constata-t-elle. Vos joues ont repris des couleurs. Le climat du Bois de l'abbé vous réussit.

— C'est si gentil à vous de m'accueillir !

— Voyons, ma chère, nous sommes ravis ! Restez aussi longtemps que vous en aurez envie. Seulement, je vous préviens que l'hiver est une saison assez ennuyeuse à la campagne, surtout si l'on ne chasse pas.

Comme nous n'étions encore qu'en juin, je marmonnai que je ne comptais pas abuser aussi longtemps de son hospitalité. Elle sourit.

— David aura son mot à dire là-dessus, j'en suis sûre. Je le soupçonne fortement de n'avoir invité les Baladins de Thespis que pour vous revoir. Quant à moi, j'ai beaucoup regretté de ne pas avoir eu l'occasion de faire la connaissance de votre père, quand il était ici. Comme tout le monde, j'aurais aimé le voir jouer Prospero. Je n'ai même pas vu son visage derrière cet horrible maquillage.

— Vous n'avez jamais vu de photographies de lui ?

— Non, hélas ! Il y a bien longtemps que je ne vais plus au théâtre et les revues spécialisées ne viennent pas jusqu'à nous. Voyez-vous, je me suis toujours satisfaite de ma vie paisible au Bois de l'abbé. Et puis, mon frère a été si longtemps absent... C'est lui, dans la famille, qui s'intéresse aux arts. La beauté sous toutes ses formes exerce sur lui un attrait puissant. Il aime la musique, la peinture, l'horticulture. Il se passionne aussi pour l'histoire naturelle, la chimie. Je suis certaine qu'il vous fera un jour visiter son laboratoire...

Des pas résonnèrent sur les briques de l'allée qui contournait le petit jardin. Malgré moi, je levai vivement les yeux, car je connaissais bien maintenant la démarche légère de David, et je fus incapable de cacher mon impatience à Claudia Bentine qui, je le sentais, m'observait.

Je le regardai venir, beau, élégant, comme toujours.

Ma joie, cependant, s'évanouit bien vite quand j'entendis à sa suite un autre pas. Red Deakon descendait les marches qui menaient au jardin. C'était la première fois que je le revoyais depuis mon retour au Bois de l'abbé.

Il était vêtu d'une veste de cheval en gros tweed, d'une culotte de cheval, et de hautes bottes de cuir. Son accoutrement contrastait avec la coupe irréprochable des vêtements de David.

— Voici Red qui vient te voir, Claudia, dit celui-ci. Il est venu t'apporter les dessins des nouveaux balcons. Pendant qu'il te les montre, je t'enlève Aphra.

David avait pris l'habitude de m'appeler par mon prénom, même en présence d'autres personnes, comme si toute cérémonie entre nous était même inimaginable. J'avais l'impression que rien de tout cela n'échappait à Claudia, mais j'étais indifférente à l'opinion des autres. Seul David comptait pour moi, désormais. Quand il me tendit la main, je la pris sans hésitation. Au même moment, Red Deakon s'inclina devant moi, mais je ne lui accordai qu'un regard courtois.

— Tu ne veux pas voir les dessins, toi aussi, David ? demanda Claudia.

— Plus tard, sœurette, plus tard !

Il m'entraîna. En partant, je remarquai l'expression de Claudia. Elle nous avait déjà oubliés et ne s'occupait plus que de Red Deakon. Son plaisir était aussi évident que le mien l'avait été en voyant venir David. Et je devinais instinctivement que ce plaisir n'avait aucun rapport avec l'objet matériel de la visite du maître de forges.

Red Deakon, quant à lui, n'avait montré aucune surprise en se retrouvant devant moi. Sans nul doute, les nouvelles allaient vite au village.

— Revenez, Aphra ! me dit David, taquin. Je n'aime pas quand vous m'échappez, ne serait-ce qu'en pensée.

Ses lèvres joliment ourlées me souriaient, et ce sourire suffisait à accélérer les battements de mon cœur. Quand je sentis ses doigts envelopper les miens, mon trouble augmenta encore.

— Je vous désire, murmura-t-il. Vous ne l'ignorez pas, bien sûr. Non, ne venez pas me dire que ce n'est ni le moment ni le lieu de vous faire la cour. Je ne le sais que trop bien...

Nos pas s'arrêtèrent. Les doigts de son autre main effleurèrent doucement ma joue et descendirent le long de ma gorge et dans la courbe de mon cou. Puis je sentis ses bras m'entourer. Mes yeux se fermèrent, ses lèvres se joignirent aux miennes...

Soudain, nous entendîmes des pas précipités accourir dans notre direction. Harriet apparut, et nous la regardâmes avancer, n'osant en croire nos yeux.

Elle arborait un chapeau dont la couronne disparaissait maintenant sous des fleurs exotiques et dont le bord était si bien tailladé qu'il retombait en festons autour de son visage. Elle s'arrêta devant nous et se pavana.

— Où avez-vous pris ces fleurs ? cria David, furieux. Comment avez-vous osé vous introduire dans ma serre ? Comment avez-vous osé forcer la porte ?

Il était hors de lui, son visage normalement assez pâle s'était empourpré. Ses mains tremblaient. Il avança comme un fou vers sa cousine et arracha le chapeau pour regarder, consterné les fleurs mutilées. On eût dit qu'il allait se mettre à pleurer.

Le sourire radieux d'Harriet se changea en bouderie.

— Mais c'est un des chapeaux de Claudia ! m'écriai-je.

— Que se passe-t-il ? demanda la voix de Claudia derrière nous.

Red Deakon et elle étaient arrivés par la pelouse, si bien que nous ne les avions pas entendus approcher ; Je me demandai, consternée, s'ils m'avaient vue dans les bras de David. Cela semblait plus que probable. Red regardait Claudia d'un œil soucieux.

Sans mot dire, je tendis le chapeau à Claudia et je vis le chagrin dans ses yeux. Elle retourna le chapeau dans tous les sens, sans mot dire, puis elle le rendit à Harriet.

— Vous avez dû prendre plaisir à le garnir, dit-elle gentiment. Alors, portez-le.

Harriet sourit avec un ravissement enfantin et enfonça sa « création » sur sa tête. Après quoi, elle s'en alla vers le bois en gambadant et en chantant gaiement.

Claudia s'avança vers David et lui toucha l'épaule.

— Cela ne sert à rien de se mettre en colère, David, dit-elle, compatissante. Elle ne comprend pas. Il faut que tu lui pardonnes, comme moi.

— Je voudrais avoir ta patience ! dit-il, faisant un effort visible pour se dominer. Tu as raison, bien sûr. Tu as toujours raison. Normalement, je supporte assez bien Harriet, mais j'avoue que la vue de ces fleurs m'a mis hors de moi.

— Je sais ce que tu ressens. A l'avenir, garde la clé de la serre dans un endroit où elle ne pourra pas la trouver.

— C'est bon. Je garderai la clé dans mon bureau, à l'avenir. Excuse-moi de m'être emporté. Vous aussi, Aphra, excusez-moi.

Red Deakon, qui n'avait encore rien dit, intervint :

— Allons, Claudia, un verre de sherry vous fera du bien, après ce choc. Vous dissimulez bien vos réactions, mais je les devine.

D'un geste plein de sollicitude, il plaça sa main sous le coude de Claudia pour la conduire vers le château. David et moi les imitâmes.

Nous nous assîmes au salon, David et moi dans des fauteuils de part et d'autre de la cheminée, Claudia avec Red Deakon sur un divan. La conversation s'engagea, décousue et polie sur le temps, les récoltes, les nouvelles du village, des sujets sur lesquels je n'avais rien à dire. Mais Claudia, en maîtresse de maison attentive, me mêla à l'entretien en me demandant mon avis sur les nouveaux dessins des balcons.

— Montrez-les-lui donc, Red. Mademoiselle Coleman s'intéresse beaucoup à tout ce qui concerne le domaine.

— J'ai remarqué moi-même l'intérêt que mademoiselle Coleman porte à votre demeure, rétorqua Red.

Je levai vivement la tête, d'un mouvement un peu indigné. Il soutint mon regard d'un air amusé avant d'exhiber les croquis.

Furieuse, j'eus du mal à trouver des louanges pour ce qui était vraiment un travail très admirable. Je laissai ce soin à David et ignorai l'homme pendant le reste de sa visite.

La courtoisie exigeait tout de même que je lui disse au revoir avant son départ. A ce moment, nous étions tous sortis dans le hall. Claudia marchait en tête avec son frère.

— Depuis que j'ai appris votre retour, mademoiselle Coleman, dit Red Deakon, je me suis demandé si je vous rendrais visite, les circonstances me donnent à penser que je pourrais ne pas être le bienvenu. Cependant je désire que vous sachiez comme je suis désolé de la mort de votre père. Cela a dû être pour vous un chagrin et un choc considérables.

Ces condoléances étaient honnêtes, et je les sentais sincères. Je le remerciai, ajoutant que ma peine ne s'atténuait guère.

— Je comprends, dit-il. Le temps peut masquer les chagrins, mais, contrairement à ce qu'on croit généralement, il ne les guérit pas toujours.

Vous trouverez un bon refuge dans votre travail, soyez-en sûre. J'ai entendu dire, d'ailleurs, que les gens de théâtre se montrent extrêmement compatissants quand un de leurs camarades est dans la peine.

— C'est vrai, et j'ai la satisfaction d'avoir d'autres amis aussi.

— Vous voulez parler l'Hillyard et de sa sœur ? Je suis sûr que leur sollicitude compte beaucoup pour vous, effectivement.

Mettait-il toujours un double sens dans tout ce qu'il disait, ou avais-je tort d'imaginer un sous-entendu dans son propos ? Claudia et lui me surveillaient-ils avec une attention qui dépassait la simple gentillesse ? S'imaginaient-ils que je manœuvrais pour rester ?...

Je regagnai ma chambre, l'esprit en déroute. En y réfléchissant, je compris que la sagesse me commandait de partir au plus vite.

Je vous désire, m'avait dit David, et non : je vous aime. Cela faisait une grosse différence. Je n'avais jamais aimé un homme comme j'aimais David Hillyard, et je me sentais trop vulnérable...

Je me fis violence pour quitter le refuge de ma chambre et rejoindre mes hôtes. J'allai lentement dans les couloirs, prenant mon temps, regardant vaguement autour de moi, tout en marchant, et remarquai pour la première fois l'absence de portraits de famille.

— Vous semblez songeuse, douce Aphra ?

David m'attendait au pied de l'escalier, les deux

mains tendues. Immédiatement, mon abattement disparut. Je hâtai le pas.

— J'étais surprise de ne voir aucun portrait de membres de la famille Bentine, expliquai-je.

— On m'a dit que c'étaient des gens qui n'aimaient pas se faire peindre.

— Curieux, pour des personnes qui prenaient tant de plaisir à jouer la comédie !

Il haussa les épaules. Ce sujet ne l'intéressait pas, manifestement.

— Nous avons à parler, dit-il.

— Oui, dis-je. Il faut que nous discutions de mon départ, car je ne puis abuser de votre généreuse hospitalité.

— Votre départ ? Mais vous n'êtes pas encore remise de la mort de votre père !

— Le travail m'y aidera.

Il m'entraîna avec autorité dans le salon, refermant carrément la porte derrière nous. Puis il se retourna et posa ses deux mains sur mes épaules.

— Qui vous a mis cette idée en tête ?

Et, comme je ne répondais pas, il reprit :

— Est-ce à cause de... de mon comportement, cet après-midi ? Vous ai-je fait peur ? Oh ! ma douce Aphra, pardonnez-moi, mais c'est si dur d'attendre, et je ne suis pas patient.

— Je sais ce que vous voulez de moi, mais je ne puis m'y résoudre...

— Je ne vous crois pas ! coupa-t-il furieusement. De grâce ! Aphra, n'essayez pas de me faire croire que vous êtes insensible à mon amour !

Ses bras glissèrent de mes épaules à mon dos,

m'attirant contre lui, pressant mon corps contre le sien.

Je m'arrachai à lui. Je pleurais. Je désirais tellement plus que cela ! Je désirais des enfants, un père qui leur donnerait son nom.

— Ma chérie, c'est si difficile d'attendre ! Et, maintenant que vous menacez de partir, il me semble qu'il me reste encore moins de temps. Quand je vous ai amenée ici, je croyais que je pourrais me contenter de vous regarder vous remettre lentement de votre chagrin, que je vous chérirais au fil des mois jusqu'au moment où les conventions me permettraient de parler. Mais je suis un homme passionné, mon amour. Pourquoi attendrions-nous une année entière, simplement parce que les conventions l'exigent ?

Je m'immobilisai et le regardai, incrédule. Une année, avait-il dit ? L'année conventionnelle exigée pour le deuil et qui interdisait, socialement, toute possibilité de mariage...

— Pourquoi prenez-vous cet air-là, mon amour ? Qu'ai-je dit qui vous surprenne ?

— Une année... L'année à attendre pour respecter les convenances...

Il me fit un sourire joyeux.

— Cette idée vous semble insupportable, à vous aussi ? Oh ! ma douce Aphra, comme j'en suis heureux ! Alors, vous ne vous en irez pas, n'est-ce pas ? Vous resterez et nous pourrons nous épouser discrètement ?

Il me prit à nouveau dans ses bras et, cette fois, je me pendis à son cou, et nous nous embrassâmes avec passion...

La porte s'ouvrit. Nous nous séparâmes prestement mais David garda son bras autour de ma taille. Nous fîmes face à sa sœur.

Claudia fut tellement saisie qu'elle resta où elle était, la main sur la poignée de la porte qu'elle referma doucement.

— Claudia ! s'écria David. Tu dois être la première à apprendre la nouvelle et à me féliciter. Aphra a accepté d'être ma femme.

— Les mots ont dépassé ta pensée, certainement ? rétorqua sa sœur. Mademoiselle Coleman ne ferait pas une chose pareille, si tôt après la mort de son père.

J'eus l'impression curieuse qu'elle prenait cela comme elle aurait saisi le premier prétexte venu.

— Voyons ! protesta David. Ce n'est pas parce qu'elle m'épousera qu'elle pleurera moins son père. Mais, si je peux lui procurer un peu de bonheur, cela l'aidera beaucoup à mieux supporter la perte qu'elle vient de subir.

Claudia faisait manifestement un effort terrible pour se maîtriser.

— Si c'est ce que tu désires, David, je ne puis que le désirer aussi : mais je te supplie d'attendre que ...

— Non ! Il n'y a absolument aucune raison d'attendre ! Aphra est seule au monde. Personne de ce côté ne peut donc s'opposer à ce mariage.

Claudia se tourna alors vers moi.

— Etes-vous certaine de ne pas vouloir épouser mon frère justement pour cette raison, mademoiselle Coleman ?

Cette remarque révolta David. Elle me mit en colère, moi aussi.

— Je préfère croire que c'est la surprise, ou le saisissement, si vous préférez, qui vous fait parler aussi étourdiment, madame Bentine.

Je fus stupéfaite d'avoir pu m'exprimer d'une voix aussi calme.

— Ta réflexion était très cruelle, Claudia, reprocha David. Je ne puis la pardonner.

— Je n'ai pas voulu insinuer que mademoiselle Coleman agissait par calcul, se défendit Claudia. J'ai voulu simplement dire qu'elle avait pu se laisser entraîner par un besoin bien naturel de protection. Après tout, elle est jeune ; elle avait été toute sa vie entourée de l'affection d'un père...

David se mit à rire.

— Je puis t'assurer que ce n'est pas un amour paternel qu'Aphra attend de moi et que ce que je ressens pour elle n'y ressemble guère, même de très loin !

CHAPITRE V

Trois semaines plus tard, David avait convaincu sa sœur de la sincérité de notre amour. La veille du mariage, Claudia monta dans ma chambre et m'adressa une dernière requête.

— Il n'est pas trop tard pour reculer, me dit-elle, pressante. Vous êtes si jeune, trop jeune pour savoir ce que vous voulez...

— Je crois qu'en réalité c'est à votre frère que vous pensez, pas à moi, dis-je doucement. Cela m'attriste, car je vous ai bien aimée dès le premier jour et j'avais espéré que vous aviez les mêmes sentiments pour moi.

— Je vois que votre décision est prise, dit-elle d'un air résigné et triste. N'y a-t-il rien que je puisse faire pour vous dissuader ?

— Mais pourquoi tenez-vous tant à me dissuader ? me récriai-je. Est-ce parce que je suis pauvre ? Je reconnais que je ne suis pas un beau parti. C'est cela, n'est-ce pas, que vous auriez voulu pour David ?

— Ne parlez pas ainsi ! Ne pensez pas cela !

— Que dois-je penser d'autre ? Quelle autre

raison pourriez-vous avoir de ne pas vouloir que j'épouse votre frère ?

Elle ouvrit la bouche, puis la referma sans rien dire. Elle poussa un soupir et me quitta. Elle avait perdu, j'avais gagné, mais je ne ressentais aucun triomphe quand la porte se referma derrière elle. La perspective de mon prochain mariage m'eût rendue plus heureuse si j'avais eu l'impression d'être vraiment la bienvenue au Bois de l'abbé.

***

Le lendemain de mon mariage, une lettre de George Mayfield me parvint.

Tout est signé, en bonne et due forme, écrivait-il. *Je reprends la troupe exactement comme avant. Je mènerai les affaires exactement comme votre père le faisait, ce qui veut dire qu'il y a toujours une place pour vous pour les rôles d'ingénue. Etant donné votre triste situation, ma chère Aphra, j'ai même l'intention d'augmenter vos cachets de dix shillings par semaine — je sais que vous en aurez besoin. Nous commencerons les répétitions le premier octobre. Je vous demande donc de revenir ici signer votre contrat le 30 septembre au plus tard.*

D'autre part, je souhaiterais obtenir quelques détails sur le contrat que votre père, semble-t-il, a signé à Folkestone. Savez-vous quoi que ce soit à ce sujet ? Je n'ai reçu aucune confirmation, et le théâtre est toujours fermé.

Je me hâtai d'écrire à George, lui expliquant pourquoi je ne rejoindrais pas les Baladins. Pour me faire excuser, je promettais de me rendre à Folkestone aussitôt que possible et d'aller voir la personne qui, je le savais, reprenait le théâtre.

David entra dans la pièce au moment où je signais cette lettre. Il se baissa pour m'embrasser dans le cou. Ses lèvres s'attardèrent.

Je lui parlai aussitôt de mon intention de me rendre à Folkestone pour me renseigner au sujet de la réouverture du théâtre.

— J'ai l'impression que je dois cela à la troupe, puisque c'est mon père qui a négocié cet engagement. Un élément nouveau, que nous ignorons, a dû entrer en ligne de compte depuis qu'il a accompli sa démarche.

David ne répondit pas. Je le regardai, devinant qu'il était préoccupé, presque embarrassé. Il leva les yeux vers moi et dit d'un air compatissant :

— Inutile de perdre ton temps, mon amour. Ton père n'est jamais allé au théâtre.

— Je sais. Il nous l'a dit.

— Il nous a dit aussi que le théâtre avait été racheté par le propriétaire du *Métropole,* le grand hôtel de Folkestone, n'est-ce pas ?

— Eh bien, oui, répondis-je, hésitante, intriguée et presque alarmée du ton circonspect de mon époux.

— Son histoire n'était qu'un tissu de mensonges, annonça-t-il enfin, carrément. Il a inventé tout cela.

— Comment peux-tu soupçonner mon père de mensonges ? me récriai-je sans pouvoir dissimuler ma colère.

— Ma chérie, dit gentiment mon époux, il faut apprendre à te maîtriser. L'instabilité émotionnelle peut avoir des résultats affreux. Regarde Harriet.

Je me sentis pâlir. Où était l'homme gentil, attentionné dont j'étais tombée amoureuse ? J'avais devant moi un inconnu aux yeux froids qui me parlait sur un ton détaché, d'une voix sèche. De saisissement, je laissai tomber le stylo que j'avais en main. Immédiatement, David posa sa main sur la mienne. Ses yeux avaient repris leur chaleur, sa voix sa gentillesse. Comment un homme pouvait-il se montrer aussi changeant ?

— Je sais le chagrin que tu éprouves encore lorsque tu penses à ton père. C'est pour cela que j'avais gardé le silence sur les choses que j'ai découvertes.

— Quelles choses ? Il n'y avait rien à découvrir, que je sache !

— Bien sûr que non, ma pauvre chérie. Oublie cela. Oublie tout et ne pense plus à Folkestone. Il est peut-être préférable de ne pas savoir pourquoi ton père a préféré se rendre là-bas plutôt que de venir au Bois de l'abbé.

— Je... je n'aime pas tes sous-entendus...

— Je ne sous-entends rien du tout ! dit-il, d'une voix qui contenait son impatience, comme s'il s'adressait à Harriet. Je te livre les faits, simplement. Pour je ne sais quelle raison qu'il était seul à connaître, ton père a décidé d'entrer au château incognito.

— Mon père ne s'est jamais glissé au château en catimini, si c'est cela que tu insinues !

— En tout cas, ma chérie, tout semble le laisser penser. Et maintenant, mon amour, n'y pense plus. Ton père est mort et il a emporté ses secrets dans la tombe.

— Il n'avait pas de secrets.

Mon mari sourit gentiment.

— Allons donc ! Y a-t-il une seule personne au monde qui n'ait pas quelque secret ? Mais la loyauté dont tu fais preuve envers lui, la confiance que tu as en lui m'émeuvent. Si tu as pour moi la même loyauté, la même confiance pendant toute notre vie conjugale, j'en serai plus heureux que je ne puis dire.

Il déposa un baiser léger sur mon front.

— Et maintenant, il faut que je retourne travailler. Comment te proposes-tu de te distraire, cet après-midi ?

Je haussai les épaules. Je n'avais guère l'esprit à m'amuser. Je n'étais pas disposée non plus à chasser de mon esprit cette histoire.

— Si mon père a dit qu'il avait obtenu un engagement pour la troupe, il n'a pas menti, insistai-je.

— Le propriétaire du *Métropole,* quant à lui, m'a assuré qu'il n'avait jamais envisagé de racheter le théâtre, renchérit David.

J'étais abasourdie. La voix de David m'arriva très douce :

— Je crains que tu ne doives regarder la vérité en face, Aphra. Avant sa mort, ton père était manifestement... comment dire... perturbé. Cet étrange caprice de jouer Caliban, de s'affubler de ce masque grotesque, quel masochisme pour un homme si fier de son physique ! Et son jeu, ce soir-là, était nettement... disons, chaotique. J'espère avoir été le seul de l'assistance à remarquer ses trous de mémoire, ses confusions...

Je relevai la tête.

— Il n'était pas bien portant ! Tu le sais ! Tu

l'as entretenu toi-même de son état de santé, à son départ le lendemain matin.

— Effectivement, je l'ai fait. Et je continuerai à convenir avec toi de tout ce que tu voudras.

— Que veux-tu dire par là ? Cesse de parler comme si tu ne songeais qu'à ne pas me contrarier.

— Mais n'est-ce pas ce que je fais, mon amour ? J'y suis bien obligé, quand je te vois d'une humeur pareille.

Il revint m'embrasser, mais je ne répondis pas à son étreinte. Je m'en sentais incapable.

— Très bien ! dit-il, avec une soudaine impatience. Je t'aurais pourtant crue plus maîtresse de tes émotions, plus stable.

— Si tu veux faire croire que je suis dérangée mentalement...

— Je ne veux rien faire croire de tel, ma chérie. Comme tu te montres susceptible, simplement parce qu'il se trouve que j'ai surpris ton père en défaut ! Allons donc, faut-il faire tant d'histoires pour quelque peccadille ? Il a dû avoir des femmes, dans sa vie. Sans aucun doute, il avait rendez-vous avec l'une d'elles à Folkestone.

— Et tu n'as pas vérifié cela aussi ? demandai-je, sarcastique. Tu n'as pas demandé au patron du *Métropole* si mon père avait emmené une femme dans sa chambre ?

— Grands dieux, t'imagines-tu que je m'abaisserais à cela ? Tu as perdu l'esprit, Aphra ! Tu es hystérique, décidément. Je n'avais jamais soupçonné que tu pouvais te comporter ainsi. Ta mère avait-elle des tendances de ce genre ? Ces choses peuvent être héréditaires, je crois.

Et, comme je le regardais fixement, muette de stupeur, il reprit :

— Je ne t'ai jamais interrogée sur ta famille...

— Le fais-tu, en ce moment ?

— Non. Je me pose des questions, simplement. J'imagine que tu sais très peu de choses sur tes parents. Mais peut-être cela vaut-il mieux.

La porte se referma derrière lui. Je ne parvenais pas à croire que l'homme qui quittait cette pièce était celui que j'aimais et que j'avais épousé la veille.

Je ne pouvais supporter de rester dans cette chambre à ressasser le mépris provocant de David, ses sous-entendus sur la duplicité de mon père et ma propre instabilité émotionnelle. J'étais incapable aussi d'oublier ses allusions à mon ascendance, les doutes qu'il avait jetés sur ma naissance. Je n'avais pas eu le temps de lui demander de préciser sa pensée. Quand il m'avait quittée, j'étais irritée, ahurie et — étrangement — effrayée.

J'ouvris brutalement l'immense armoire. Que de vêtements, et tous à moi ! Nous vivions vraiment de façon splendide, entourés de meubles magnifiques, marchant sur de beaux tapis, mangeant dans l'argenterie la plus belle, buvant dans le cristal le plus pur, refermant, le soir, des rideaux magnifiques sur la nuit qui tombait.

C'était le cadre qui m'avait inspiré un respect craintif, un cadre prometteur d'une existence élégante et de dignité telle que j'en avais jamais connu, un cadre qui était devenu rapidement le désir dominant de ma vie — après mon mari, bien sûr. Le Bois de l'abbé et David Hillyard étaient vite devenus indissociables, pour moi. Mais, maintenant que j'avais accédé à mes deux rêves, je constatais que je pouvais souffrir tout de même, même dans un environnement grandiose.

Je saisis d'une main tremblante le premier manteau qui me tomba sous la main ; le style et la coupe en étaient parfaits. Le rayon du dessus était celui des « cartons » à chapeaux — magnifiques en eux-mêmes, tout en cuir et contenant quantité de splendides chapeaux faits spécialement, en toute hâte, pour mon mariage. Tout cela m'avait été offert par David.

Devant cette preuve de sa générosité, je sentis naître en moi des remords. Quelle ingratitude de se mettre en colère contre lui alors que j'avais tant de raisons de le remercier !

Je fermai brutalement les portes de la splendide armoire. Je marcherais d'un bon pas dans le parc jusqu'à ce que je me fusse calmée. Depuis mon arrivée, je n'avais pas encore appris à monter à cheval. Je n'avais décidément aucun des nombreux talents que, dans la bonne société, on trouvait désirables chez une dame habitant la campagne.

Quel monde artificiel ! Les propos de Red Deakon me revinrent à l'esprit. Il m'en coûtait fort de reconnaître que cet homme pouvait avoir raison, mais j'avais vite compris qu'il disait vrai au moins sur ce point.

Avant de quitter la pièce, je pris la lettre que je destinais à George Mayfield, avec l'intention de la poster moi-même.

Pour tout l'or du monde, je n'abandonnerais pas un vieil ami.

Claudia, dans le hall, s'entretenait avec Mme Stevens. Les deux femmes levèrent la tête en me voyant descendre l'escalier et cessèrent aussitôt de parler.

Claudia renvoya Mme Stevens et vint à ma rencontre, un sourire aux lèvres.

— Vous sortez ?

— Oui. Je vais marcher un peu.

Ses yeux gris m'examinèrent. En dépit de sa réserve et de la barrière imaginaire qui nous séparait, j'avais tout de même l'impression que Claudia était fondamentalement gentille. Je souhaitais qu'elle m'acceptât pour ce que j'étais, pour une femme qui ne ressentait à son égard ni animosité ni envie. Malheureusement, elle me donnait toujours vaguement l'impression de rester sur ses gardes, et cela m'empêchait d'apprendre à la connaître mieux. Je savais pourtant que cette réserve n'était pas un trait naturel de son caractère. Je l'avais vue s'évanouir — mais seulement quand Claudia se trouvait en compagnie de Red Deakon.

— Vous êtes sans chapeau, me réprimanda-t-elle gentiment.

— Oui, j'aime sentir le vent dans mes cheveux. Le conformisme n'a quelquefois rien à voir avec la sincérité, vous savez...

Je touchai sa manche, mais elle eut un petit mouvement de recul. Cela me blessa un peu. C'était comme une rebuffade. Vexée, je passai mon chemin.

— Attendez, Aphra !

Je fus surprise de la note de supplication dans sa voix, et je m'arrêtai net. Claudia avança à ma hauteur.

— Pardonnez-moi, me dit-elle. Je ne voulais pas vous critiquer.

Cette ouverture me rendit si heureuse que je me penchai vers elle et déposai un baiser sur sa joue, avant de descendre les marches du perron d'un pas décidé.

Peut-être ma brève rencontre avec ma belle-sœur avait-elle contribué à me rasséréner. Claudia s'était montrée gentille, et je voulais espérer que la froideur dont elle faisait preuve à mon égard depuis l'annonce de son mariage disparaîtrait bientôt.

Bien résolue à me fatiguer physiquement pour me délivrer totalement de mon abattement, j'allai plus loin que je ne l'avais projeté. Quand j'arrivai au séchoir à houblon, le domaine de David, je me sentais déjà beaucoup mieux. J'avais envie de regagner la bonne humeur de mon mari, d'être heureuse à nouveau. Je me sentais honteuse de mon éclat et j'étais impatiente de le lui dire. Je frappai de grands coups à la porte de son bureau.

Je restai là, attendant qu'il me dît d'entrer, mais je n'obtins pas de réponse. Pourtant, j'étais convaincue que la bâtisse n'était pas vide. Je n'entendais à vrai dire aucun bruit, mais j'avais l'impression que le silence s'était abattu brusquement dans ce local quand j'avais frappé.

J'hésitai, m'écartai un peu, revins sur mes pas. Je frappai à nouveau, puis essayai de tourner le bouton de la porte. Elle s'ouvrit sur une grande salle ronde dont le meuble principal était le bureau de travail de David. Un bureau d'une netteté parfaite, à l'image de l'homme qui y travaillait.

J'appelai, mais les échos de ma voix n'éveillèrent aucune autre réponse.

Déçue, je me détournai. Je m'immobilisai en entendant un bruit venu d'en haut. Il y avait quelqu'un, à l'étage. Ce ne pouvait être que David. Je rassemblai donc mes jupes et, appelant son nom, montai en courant les marches de bois. J'arrivai à l'ouverture ménagée dans le plancher, en forme de trappe, toujours sans obtenir de réponse. Ma tête et mes épaules émergèrent dans une salle plongée dans la pénombre.

— David ? répétai-je vivement. Es-tu là ?

Je regardai autour de moi, essayant de pénétrer l'obscurité ; mes yeux commençaient à s'habituer à la pénombre. La salle me parut vide. Une odeur bizarre montait à mes narines. Quelque chose crissa. Mes orteils heurtèrent alors quelque chose qui roula à quelque distance avant de s'immobiliser ; je distinguai alors, devant moi, des orbites creuses, une mâchoire béante encore garnie de dents pourrissantes ; le crâne gisait au milieu d'ossements épars et brisés.

J'étouffai un cri. A ce moment, le peu de lumière qui passait dans ce grenier fut occulté, et un bruit métallique cliqueta. J'eus l'impression d'un courant d'air sur ma tête, si violent que je tombai à genoux parmi les ossements de ce charnier, trop terrifiée pour bouger.

A côté de moi, le bruit métallique devenait de plus en plus fort. Il se rapprochait, tout contre mon oreille, et je sentis le poids d'une chaîne racler contre mon corps. Seigneur, quel monstre gardait-on ici ?

J'entendis un lourd battement d'ailes : le monstre fondait à nouveau sur moi, passant plus près, cette fois, frôlant ma tête, arrachant mes cheveux au passage. Une douleur vive me tenailla quand une mèche me fut arrachée du cuir chevelu. J'entendis vaguement, comme venus de très loin, les cris qui se frayaient un passage dans ma gorge desséchée, puis un bruit de pas, venu de très loin, aussi, et une voix qui me paraissait lancer des appels inintelligibles.

Puis ce fut le silence. J'attendais, et j'entendais une voix — une voix qui disait, d'un ton apaisant :

— Là, là, Conrad ! Ne te débats pas. Tu n'as pas à avoir peur, mon tout beau. Tu ne t'attendais pas à ce qu'on fasse irruption chez toi, n'est-ce pas ? Là, tu ne crains plus rien, maintenant. Je suis là...

C'était la voix de David, avec ces intonations tendres que je connaissais si bien...

La chaîne fut tirée, entraînée plus loin. J'entendis des grattements. Le monstre devait se poser. Puis David m'aida à me relever et s'écria, d'une voix qui trahissait l'irritation :

— Que fais-tu donc là, ma chère Aphra ? Au nom du ciel, ne t'avise plus jamais de faire peur à Conrad de cette façon ! Il attaquera, pour se défendre. Et qui pourrait lui en vouloir ?

Il m'aida à descendre l'escalier. Le soleil qui entrait par la porte ouverte du séchoir à houblon m'aveugla. David me fit asseoir sur une chaise, et je vis qu'une de ses mains et son avant-bras étaient pris dans un gantelet à crispin de cuir épais, qui l'enveloppait jusqu'au coude. Il reprit, non sans gentillesse :

— Quelle idée as-tu eue de te coucher par terre comme cela ? Tu aurais dû revenir vers l'escalier.

— Je... je n'ai pas pu. La... la bête m'a presque renversée.

Je luttais pour maîtriser ma voix tremblante. Je balbutiai, demandai de l'eau. David alla m'en chercher dans son laboratoire dont la porte était ouverte, maintenant. Je me reprenais, peu à peu. Je brossai d'une main mal assurée mes vêtements poussiéreux. J'aspirais de grandes goulées d'air pour retrouver mon souffle.

— Maintenant, ordonna David, dis-moi pourquoi tu es montée dans ce grenier.

— J'ai entendu du bruit. J'ai cru que c'était toi. Au nom du ciel, David, que gardes-tu là-haut ?

Son visage s'épanouit, dans un large sourire, presque un rire.

— Tu ne l'as pas vu, vraiment ? Etonnant... D'ordinaire, les gens sont saisis d'un véritable respect admiratif quand ils voient Conrad. C'est le plus bel aigle qu'on ait jamais gardé en captivité.

— Un aigle ! Dans ce grenier obscur ? Ce cimetière ? J'ai vu un crâne...

David haussa les épaules.

— Naturellement. Quand Conrad tue un lapin, un lièvre ou quelque autre bête, je lui laisse rapporter ses proies dans son aire s'il est déjà trop repu pour les manger tout de suite... Ma chère

Aphra, tu ne peux pas savoir comme tu es comique, avec tes yeux écarquillés !

Il fut secoué d'un gros rire. Je lui criai de se taire.

— Il n'y a rien de comique là-dedans, je t'assure. Ce grenier est jonché d'ossements. Pourquoi ne t'en débarrasses-tu pas ?

— Parce que Conrad aime se faire le bec dessus. Tous les oiseaux aiment donner des coups de bec sur des os.

Mon mari me parlait comme si j'étais une enfant qu'il fallait instruire patiemment. Je tâtai prudemment mon crâne du bout des doigts. David l'examina et remarqua, indifférent :

— Quelques cheveux, peut-être. Rien de plus. Les armes d'un aigle, ce sont ses serres. S'il t'avait attaquée avec ses serres, il aurait pu te briser le crâne. Il ne t'a effleurée que de son bec. Ne fais pas d'embarras pour rien.

Puis il m'oublia. La tête renversée vers le haut, il écoutait.

— Il s'est calmé, constata-t-il.

— Tu sembles plus préoccupé de ta bête que de moi, décidément.

— Si tu avais eu le moindre bon sens, tu te serais mise hors de sa portée. Sa chaîne ne va pas jusqu'à la trappe. Et ne le considère pas comme « une bête », s'il te plaît. C'est le plus noble des oiseaux, le roi des oiseaux. Mais il faut le protéger, prendre soin de lui. Il aurait pu endommager son plumage, dans la frayeur que tu lui as faite. Mon pauvre Conrad ! Tu dois absolument faire sa connaissance...

Il se dirigea vers l'escalier et disparut avant que j'eusse le temps de protester.

Quand il redescendit l'escalier, l'aigle était perché sur son bras ganté de cuir. Malgré mon énervement et mon agitation, je succombai à un mouvement d'admiration. Je n'avais jamais vu un tel plumage, soyeux et tacheté, un port de tête aussi noble. Il y avait dans le silence de l'oiseau une dignité qui me rendit honteuse d'avoir affiché ma peur. La bête avait-elle vraiment été plus terrifiée que moi ?

— Viens le regarder de près, Aphra ! Touche-le ! Caresse-le ! Sens comme ses plumes sont soyeuses. N'aie pas peur ! Quand il porte un chaperon, il sent les choses, mais il ne peut pas les voir. Tu ne risques pas qu'il t'attaque.

David caressait le plumage de son aigle d'un geste fier et affectueux.

Je fis un pas hésitant en avant. A mon approche, les serres se crispèrent brusquement, comme un étau. Je vis les muscles jouer, dans le bras de David, pour résister à la poussée et au poids de l'oiseau.

— Il sent ta proximité, mon amour. Vois comme il s'accroche à moi, instinctivement. Quelquefois il s'accroche si longtemps de cette façon que ma main est tout engourdie quand il se décide enfin à s'envoler. Sa force et son poids sont si grands et ses serres si acérées que ce gant doit être fait de trois épaisseurs de peau pour y résister. Viens, nous allons le sortir ; il n'a pas mangé aujourd'hui. Dans son Afrique du Sud natale, il tue des singes, pour se nourrir, et il abat même des antilopes d'assez bonne taille. Ici, il doit se contenter de lapins, de lièvres, de perdrix, de faisans et à l'occasion d'une brebis — quand personne ne nous voit... Qu'y a-t-il, mon amour ? Pourquoi me regardes-tu de cette façon ?

— Parce que, quand tu parles ainsi, je ne te reconnais plus.

Il sourit.

— Tu veux dire que tu commences seulement à me découvrir. Mais, pour me connaître complètement, il faut que tu connaisses aussi Conrad. C'est mon autre moi-même. N'est-ce pas, Conrad, mon tout beau ?

— Tu ne m'avais jamais dit que tu avais un aigle apprivoisé, dis-je.

— J'aurais fini par te le dire.

— Claudia ne m'en a jamais parlé non plus. Ni Harriet.

— Claudia et Harriet ont un peu peur de lui, dit David. Elles sont ridicules ! Je t'apprendrai, moi, à aimer Conrad...

Il me jeta un regard de côté — un regard un peu amusé.

— Bien sûr, c'est aussi extrêmement divertissant de le voir terrifier les gens. Nous allons l'emmener dans le parc, loin de la ferme. Je ne tiens pas à perdre un bon régisseur. Cet imbécile a peur pour le bétail quand il voit Conrad voler aux environs... Là, maintenant, nous allons le poser sur cette branche et le faire venir sur le leurre.

Adroitement, il retira la longue chaîne de l'oiseau de l'émerillon fixé à une patte, puis percha l'oiseau à l'endroit choisi. Je vis qu'un grelot était fixé au-dessus de l'ergot, à l'autre patte.

— C'est pour le récupérer, au cas où il s'égarerait, me dit David, sortant le leurre de la sacoche. Si jamais je perdais Conrad, je ne sais pas ce que je ferais. Il y a de tels liens, entre nous !

— Et s'il s'attaquait à toi, comme l'aigle Bentine ? objectai-je.

David partit d'un rire méprisant.

— Manifestement, ce type n'avait aucune idée de la façon de traiter ces oiseaux. Moi, je suis le maître de Conrad, et il le sait.

Tout en parlant, il attachait le leurre à l'extrémité d'un fil. Le leurre consistait en un demi-lapin, dont la fourrure et les os étaient encore intacts. Les restes d'une proie non mangée ? Je réprimai un frisson, mais je ne pus m'empêcher d'observer, hypnotisée, David qui retirait le chaperon de l'aigle. Une paire d'yeux féroces apparurent, clignèrent dans la lumière soudaine, puis s'ouvrirent d'un coup comme si des ressorts libéraient les paupières lourdes.

David siffla doucement. L'aigle tressaillit et se mit à épier attentivement, guettant le leurre que David balançait en cercles de plus en plus larges. Puis, brusquement, l'oiseau s'éleva presque verticalement vers le ciel.

— N'est-ce pas magnifique ? Seul l'aigle couronné peut monter droit, comme cela. Maintenant, regarde-le bien. Il va se percher au-dessus de nous, et il attendra là et guettera jusqu'à ce qu'il soit prêt à se lancer. Maintenant, regarde la hauteur à laquelle il va monter avant de fondre sur sa proie.

L'oiseau immense s'éleva, plus haut, toujours plus haut, jusqu'au moment où il ne fut plus qu'une petite tache dans le ciel.

— Plus il est haut, mieux il embrasse son terrain de chasse, commenta David. Les aigles ont une vue fantastique. Regarde ! Le voici !

La tache lointaine grossit, piquant à une vitesse incroyable. Je vis les pattes d'acier se tendre et se raidir, le dos s'arrondir, le corps se redresser. Avec un coup sourd, terrible, l'aigle atterrit droit sur le leurre. Le choc fut si violent que le leurre fut à demi enfoui dans la terre. Puis les serres, en un éclair, mirent les chairs en lambeau.

— C'est à la fois effrayant et fascinant, avouai-je.

— Je savais que tu serais impressionnée, répliqua fièrement David. Mais tu n'as encore rien vu, ce lapin n'est qu'un apéritif. La chasse véritable est maintenant ouverte...

Alors, l'oiseau reprit son envol pour un long et incessant ballet aérien. Conrad s'élevait, piquait, roulait sur le dos en plein air pour s'emparer de quelque oiseau en vol, ne manquant pas une seule fois son coup, saisissant sa proie dans ses terribles serres. On eût dit que tous les animaux sauvages devaient fatalement succomber aux attaques de ce roi du ciel. C'était un massacre. Grands ou petits, tous succombaient instantanément — jusqu'aux modestes mulots des champs.

Sa voracité était extraordinaire, mais l'aigle lui-même pouvait atteindre un point de satiété. Bientôt, il contempla la litière de chair et d'os et se détourna, indifférent. Je fus prise de nausées.

— Voyons, ma chère Aphra, tu ne vas pas me dire que tu es dégoûtée ? demanda David, indifférent.

— Par les tueries inutiles, si. Tu as laissé cette bête continuer son massacre, juste pour le plaisir.

Et sur ces mots, je m'enfuis en courant. Je sentais qu'il me fallait mettre autant de distance que possible entre l'aigle et moi. Mais n'était-ce pas aussi bien à son maître que je désirais échapper, à cet homme que j'avais cru connaître et qui me montrait maintenant un aspect tout à fait différent de sa personnalité ?...

CHAPITRE VI

Les mains enfoncées dans les poches de mon manteau, mes doigts alors se refermèrent sur la lettre que j'avais écrite à George Mayfield. J'avais oublié de la glisser dans le sac de courrier, en passant dans le hall. Le facteur devait maintenant être venu et reparti. Le mieux était donc d'aller la mettre moi-même à la poste, au village.

Penser à George me fit inévitablement penser à mon père. Tout en marchant, je me rappelai les faits que David m'avait jetés à la figure, concernant sa visite à Folkestone. Je répugnais à croire que mon père avait inventé de toutes pièces cette histoire d'engagement pour excuser son arrivée tardive au Bois de l'abbé. Pourtant, ce que m'avait écrit George Mayfield semblait bien le confirmer. Que cela me plût ou non, il me fallait admettre que mon père était manifestement allé à Folkestone pour éviter de tuer le temps et éviter de rester plus longtemps qu'il n'était nécessaire au Bois de l'abbé où, à l'origine, il avait refusé de se rendre.

Mais quelles raisons avait-il eues d'agir de la

sorte ? C'était ce que je ne pourrais plus jamais découvrir, maintenant qu'il était mort.

Ce ne fut que lorsque j'eus couvert les deux kilomètres qui séparaient le Bois de l'abbé du village voisin et que je fus arrivée au petit bazar qui servait aussi de bureau de poste que je me rendis compte que, finalement, je ne pouvais pas mettre ma lettre à la poste : n'ayant pas eu l'intention de sortir du parc, cet après-midi-là, je n'avais pas emporté mon réticule ; je n'avais même pas sur moi le penny nécessaire pour le timbre.

Je m'arrêtai, la main déjà posée sur la clenche de fer de la boutique. J'étais consciente des regards curieux, que les villageois posaient sur moi, sur mon manteau violet élégant, sur mes cheveux que le vent avait achevé de décoiffer. Ils m'épiaient, se posaient des questions. Je ne pouvais guère les en blâmer : les dames de la bonne société ne se promenaient pas sans chapeau dans les rues du village.

J'abandonnai la clenche et, redescendant les quelques marches usées, je me retrouvai dans la rue — juste au moment où la pluie se mettait à tomber. Je me mis à courir....

Avant même d'avoir atteint le bouquet d'arbres, en bordure du village, mes cheveux étaient trempés. Je devais avoir piètre allure ! Heureusement que David ne pouvait pas me voir en ce moment, ni Claudia ni personne du domaine !...

Un cheval soudain s'arrêta tout près de moi.

— Madame Hillyard ! Vous allez être trempée, si vous restez ici !

Décidément, Red Deakon avait le don pour me surprendre dans les plus fâcheuses postures. Je levai les yeux vers lui avec autant de sang-froid que je pus en rassembler, consciente de mes cheveux mouillés qui pendaient en mèches pitoyables sur mon front, et de ma jupe dont l'ourlet était couvert de boue.

Comme je m'y attendais, il s'amusait fort. Je le voyais à ses yeux, bien qu'il ne se laissât pas aller à rire ouvertement.

— Je vous en prie, entrez vous abriter chez moi ! Quand la pluie sera terminée, je vous ramènerai chez vous en voiture.

Un refus eût été impoli. D'ailleurs, si je restais là, j'aurais encore bien plus mauvaise mine à mon retour. Je n'avais donc pas le choix. Il ne me restait qu'à accepter son offre, d'aussi bonne grâce que je le pouvais. Je n'avais pas remarqué à quelques pas sur ma gauche le grand portail de fer forgé sur lequel était inscrit : *Forges Deakon.*

Red Deakon appela un valet d'écurie pour lui confier son cheval, puis il me pressa de gagner la maison. Je courus à côté de lui, tête baissée.

Red Deakon ouvrit la porte et me fit entrer. Il m'enleva mon manteau mouillé et le tendit à une femme qui était apparue aussitôt.

— Mettez cela à sécher, voulez-vous, Meg ? Et puis apportez-nous du thé. Madame Hillyard a été malencontreusement surprise par la pluie et serait heureuse de se réchauffer.

— Naturellement, le pauvre agneau ! Tout de suite !

La femme avait un sourire chaleureux, amical. Elle s'affaira, laissant le maître de la maison s'occuper de moi. Nous étions entrés dans un long hall étroit aux murs lambrissés. Au bout de ce hall, un escalier blanc couvert d'un tapis de Turquie rouge s'arrondissait dans une courbe gracieuse. Tout cela avait un charme sans prétention qui me plut. C'était le charme de la simplicité et du confort, et je m'y sentis immédiatement à mon aise. Du coup, la réserve que m'inspirait immanquablement tout contact avec cet homme s'évanouissait un peu.

— Entrez donc dans mon cabinet de travail, Madame Hillyard. Vous pouvez retirer vos souliers. Vous sécherez vos pieds devant le feu.

Je me retrouvai dans la pièce qu'il m'indiquait avant même qu'il eût fini de parler. Red Deakon était le genre d'homme qui ne perdait jamais de temps, pas plus que la gentille Meg, apparemment, car il ne m'avait pas plus tôt installée dans un fauteuil confortable et retiré mes souliers, sans cérémonie, qu'elle entra sans frapper, poussant la porte d'un coup de pied parce que ses mains étaient occupées par le plateau qu'elle apportait.

— J'ai oublié de vous dire qu'il y a eu ce matin quelques problèmes dans les ateliers, dit-elle à Red. Encore ce Jenkins !

Elle déposa le plateau tout près de moi. Il y avait là du gâteau à l'anis, des scones et de la confiture de fraises.

Je pris la magnifique théière et versai le thé. Mon hôte fronça les sourcils et regarda sa gouvernante.

— Les difficultés habituelles, je suppose ? Il a encore chapardé de la ferraille ?

— Que voulez-vous que ce soit d'autre ? Vous

êtes trop indulgent avec vos ouvriers. Aucun Deakon avant vous n'a jamais permis à ses hommes d'emporter chez eux ne fût-ce qu'une once de fer. Tous les déchets devaient être refondus et réutilisés. Vous, vous allez au-devant des ennuis en leur permettant d'emporter gratuitement de la matière pour leur usage personnel.

— Comprenez-moi, Meg. Ce que les hommes font avec les restes de ferraille ne me regarde pas. Après tout, s'ils ont besoin de se faire un peu d'argent en plus de leur salaire et du moment qu'ils ne dépassent pas leur allocation gratuite, c'est leur affaire. D'ailleurs, Jenkins est le seul qui ait jamais abusé de ce privilège. Je suppose que le contremaître a demandé à me voir à ce sujet ?

— En effet. Tâchez de ne pas fermer les yeux, cette fois !

Elle jeta un dernier regard au plateau et nous invita à bien manger.

— Ne gâchez rien, et vous ne manquerez de rien ! dit-elle en souriant. Bon, excusez-moi, j'ai à faire...

Et elle s'en alla vivement. Red Deakon, amusé, me regarda.

— Vos cheveux sècheront plus rapidement si vous les dénouez, madame Hillyard. Ne vous inquiétez pas, si Meg entre et vous voit avec vos cheveux sur vos épaules, elle ne s'en offusquera pas le moins du monde. Comme vous l'avez sans doute deviné, elle est elle-même assez peu orthodoxe. Elle fait d'ailleurs partie de la maison depuis assez longtemps pour ne plus s'étonner de rien. Allons, dénouez vos cheveux et détendez-vous.

Je fus heureuse de lui obéir mais, au moment où je retirais les épingles, je ne pus réprimer une grimace de douleur que Red Deakon surprit aussitôt.

— Vous êtes blessée ! Que vous est-il arrivé ?

— Oh ! rien. Mes cheveux se sont pris dans des ronces...

Il s'était penché sur moi et partageait délicatement mes cheveux.

— Mais vous êtes blessée ! On dirait qu'on vous a arraché violemment une mèche.

— Eh bien, je vous le dis, je me suis prise dans des ronces.

— Assez violemment, à en juger par l'allure de votre blessure.

— Je suis tombée la tête la première dans un buisson. Je suis plus habituée aux rues des villes qu'aux sentiers de campagne.

Je parlais encore qu'il était déjà sorti. Il revint très vite avec une cuvette d'eau. J'avais achevé de dénouer mes cheveux, qui tombaient librement sur mes épaules.

Il insista pour nettoyer la plaie.

— Ce n'est rien de grave, observa-t-il, mais le coup a dû vous faire mal. Vous devriez vous sentir mieux, maintenant. Mais prenez garde quand vous vous aventurez dans nos chemins de campagne, madame Hillyard. Vos cheveux sont trop beaux pour les sacrifier ainsi.

Je fus heureuse de le voir accepter mon histoire sans plus de façons, et soulagée de laisser ma tête retomber contre le dossier de mon fauteuil. Il posa la cuvette à l'écart et s'assit en face de moi. Je sentais sur moi son regard, qui descendait de mes cheveux à ma gorge, et je fus saisie en l'entendant dire :

— Cette broche... d'où vous vient-elle ?

— De ma mère. C'est un camée que j'ai toujours beaucoup aimé pour son originalité : il représente un dragon tenant dans sa gueule un gantelet de cotte de mailles.

Mais voyant l'intérêt que mon hôte manifestait, je dégrafai le camée et le lui tendis. Il l'observa un moment puis me le rendit sans faire de commentaires. Mais, pour la première fois, j'avais vu sur le visage de cet homme une expression qui n'était ni de la moquerie ni de l'amusement. Brusquement intimidée, j'agrafai à nouveau la broche à mon corsage.

Comme je ne tenais pas à rencontrer le regard de Red Deakon qui semblait m'observer attentivement, je laissai mon regard errer dans la pièce. Je fus surprise de voir les murs chargés de livres. Je remarquai des volumes consacrés à l'histoire du comté de Kent ainsi que des ouvrages concernant les familles célèbres de la région, que j'aurais beaucoup aimé consulter.

— Cette maison doit être très ancienne, dis-je. Je penchais pour le dix-septième siècle, à première vue, mais je n'en suis plus aussi sûre. Les fenêtres à guillotine et la porte d'entrée géorgienne ont donc certainement été ajoutées... Quel âge a-t-elle ?

— Cette pièce-ci est aussi ancienne que les vestiges normands du Bois de l'abbé ; c'est du moins ce que pensait mon père. Il a passé la plus grande partie de son temps, après avoir pris sa retraite, à étudier l'histoire de cette région. Je suis heureux d'avoir hérité de sa bibliothèque et d'avoir pu la compléter. Beaucoup d'autres vestiges normands ont été identifiés dans le village et aux environs. Le premier Deakon qui est venu ici...

— Le premier Red Deakon ?

Il acquiesça.

— C'est cela. Il cherchait un lieu où repartir de zéro. Il est tombé en arrêt devant les bâtiments qui hébergent maintenant les Forges Deakon. C'étaient des étables à vaches abandonnées et, à l'endroit où nous sommes, il n'y avait qu'une petite chapelle en ruine. Mais mon ancêtre n'a pas cherché plus loin, car il avait trouvé ici ce dont il avait le plus besoin : l'eau. Ce cours d'eau, là, dehors, descend de collines lointaines et se déverse dans un petit lac, à côté d'une carrière d'argile, derrière les forges. Mon homonyme avait donc ici tout ce dont il avait besoin : de l'argile rouge, de l'eau, l'essentiel, en somme, pour faire démarrer son installation d'affinage, plus des murs qui pourraient être réparés et quantité de bois pour alimenter le four qu'il a construit ensuite. Les générations suivantes ont continué à construire et à agrandir la maison et l'entreprise, chacun suivant ses besoins et conformément aux modes de son temps, si bien que le résultat est un mélange assez disparate de différents styles, de différents goûts.

Non, pensai-je. Le résultat était un véritable foyer, bâti avec amour.

— Depuis que j'ai hérité de la maison, continua-t-il, je n'y ai rien changé. Je trouve qu'il est bon de laisser cette vieille maison se reposer un peu. Les bonnes demeures, comme les bons tableaux, sont faites pour être appréciées... Vous me comprenez, n'est-ce pas ? Vous êtes attirée vous même par les belles maisons, je l'ai remarqué, dès le début.

Ainsi, il se rappelait les rideaux de velours, et mon excitation, là-haut, sur la galerie, le soir du bal. Si l'on considérait la façon dont j'étais revenue et dont j'avais épousé un membre de la famille, tout cela pouvait, rétrospectivement, sembler très ambitieux et calculé. C'était apparemment sous ce jour, d'ailleurs, qu'il voyait les choses, et il ne s'en cachait pas.

Je tendis la main vers mes chaussures.

— Elles sont encore humides, dit-il, me les reprenant pour les déposer devant le feu. Et vos cheveux ne sont pas secs.

— Il faut pourtant que je parte ! On va se demander ce qui m'est arrivé.

— Cela vous surprendrait-il si je vous disais que Claudia serait contente de vous savoir bien en sûreté dans cette maison et que cela ne lui ferait absolument rien, en tout cas, de vous savoir seule avec moi ?

— Cela me surprendrait beaucoup.

— Ah ! voilà ! Claudia est une personne surprenante.

Je n'émis aucun commentaire. Pour moi, les réactions de Claudia étaient fort prévisibles. Elle jugeait la femme de son frère selon ses normes conventionnelles et, considérant qu'elle n'appartenait pas à sa classe, elle l'estimait indigne de lui. Elle pouvait paraître m'avoir acceptée, mais je savais qu'il n'en était rien. Mais comment pouvais-je expliquer tout cela à un homme qui admirait manifestement ma belle-sœur ?

J'entendis, sur le gravier, un bruit de roues qui ralentissaient et qui finirent par s'arrêter complètement.

Quelques instants plus tard, Meg entra pour annoncer le visiteur :

— Monsieur Hillyard est venu chercher sa femme...

David l'écarta carrément. Je surpris le regard indigné de la femme quand il entra dans la pièce et lui ferma la porte au nez.

— Votre servante a commis une erreur, Deakon...

— Meg n'est pas ma servante, coupa Red Deakon. C'est la veuve d'un cousin, qui a accepté de tenir la maison pour moi. Elle est ici chez elle et je n'aime pas qu'on la traite comme une domestique.

David négligea ces explications. Il continua, les lèvres serrées :

— J'ignorais que mon épouse était en visite chez vous. Mais avant même que j'aie eu le temps de vous demander, cette femme m'a annoncé que je trouverais madame Hillyard dans votre cabinet de travail.

Ses yeux étaient aussi froids que sa voix. Je frissonnai quand il fronça les sourcils à la vue de mes cheveux étalés sur mes épaules. Et mes pieds, posés sur le garde-feu, sans souliers !

Je rassemblai mes cheveux, d'une main dont je maîtrisai le tremblement, et je dis d'une voix assez calme :

— Monsieur Deakon m'a donné un abri contre la pluie. Je suis sûre que tu voudras l'en remercier, comme je le fais.

David ne répondit pas. Quelques minutes plus tard, nous étions partis. Il me dirigea fermement vers la porte puis me fit monter dans sa voiture.

S'il avait dit ne fût-ce qu'un seul mot pendant le trajet du retour, les choses eussent été plus faciles, mais il garda un silence glacial.

La pluie avait cessé. Je me tenais assise très droite essayant de faire bonne figure malgré mes cheveux en désordre et mon manteau froissé.

Le portail apparut devant nous, au bout du chemin. J'aperçus la grande arche de pierre du haut de laquelle la tête d'aigle nous regardait — mais David fit tourner les chevaux sur la droite et s'engagea dans un chemin qui contournait les murs du parc. Ainsi, il avait honte de moi et me ramenait au château par une entrée latérale... Je regardai derrière moi. Le concierge n'avait pas entendu le bruit de nos roues et n'était pas sorti de sa loge, mais l'aigle du portail semblait nous observer d'un œil méprisant et cruel.

David choisit une entrée qui nous permit d'accéder directement à l'aile, si bien que nous pénétrâmes dans le château par la partie qui n'était utilisée que pour les visiteurs.

— Ainsi, tu as honte de moi, n'est-ce pas, David ? dis-je. Tu ne tiens pas à ce que les domestiques voient ta femme dans une tenue si indigne ?

Il ne répondit pas. Nous continuâmes à marcher en silence, le long de ces couloirs interminables, passant devant les chambres que les Baladins de Thespis avaient occupées et finalement devant la chambre de mon père et la mienne. J'écartai vivement le souvenir de ce moment et poursuivis mon chemin au côté de mon mari. Nous finîmes par arriver à nos appartements.

Avec une courtoisie affectée, David m'ouvrit la porte.

— Maintenant, ordonna-t-il, regarde-toi. N'as-tu donc aucun sens des bienséances, aucune honte ? Penser que, si je n'étais pas allé là-bas, pour le compte de Claudia, me renseigner au sujet des balcons, j'aurais peut-être pu ne jamais rien savoir !

— J'ai peut-être manqué à la bienséance, selon toi, mais je n'ai, quant à moi, rien à me reprocher, rétorquai-je dignement.

— Comment ? Allez voir un homme chez lui, seule, se vautrer près de son feu, les cheveux dénoués ! A ton avis, il n'y a pas là de quoi avoir honte, peut-être ? Je m'étonne que tu n'aies pas retiré ton corsage et ta jupe pour les mettre à sécher devant le feu avec tes chaussures, tiens !

— J'avoue que je n'y ai pas pensé. Quel dommage ! Ç'aurait été tellement plus confortable que de rester assise dans des vêtements humides !

Il esquissa le geste de lever la main, comme pour me frapper. Je reculai, instinctivement. Il s'arrêta, mais au prix d'un certain effort. C'était lui qui tremblait, maintenant, et non moi — malgré la nausée qui me tenaillait l'estomac. C'était décidément une journée vouée aux scènes ! Je me détournai, et retirai mon manteau et, avant que David eût pu m'arrêter, j'avais sonné Mme Stevens.

— Tu n'oserais pas te montrer à une domestique dans cet état !

— Je n'en ai pas l'intention, répliquai-je froidement.

Je passai dans la chambre à coucher et me changeai. Quand Mme Stevens frappa à la porte de notre salon, ma tenue était redevenue irréprochable. Je donnai le manteau et la jupe à l'intendante et lui demandai de les faire nettoyer.

Mon sang-froid déconcerta momentanément mon mari. Mais, quand l'intendante revint, une minute plus tard, les vêtements toujours sur le bras, ce fut la fin de mon triomphe.

— J'ai retourné les poches, en descendant, madame, et j'ai trouvé ceci.

C'était ma lettre à George Mayfield. Prestement, David s'en empara. Madame Stevens se retira, nous laissant seuls.

— Et qu'est-ce que cela ? demanda David, glacial.

— Tu vois bien l'adresse sur l'enveloppe, non ? Je t'avais dit que j'écrirais à Georges Mayfield. C'est pour mettre cette lettre à la poste que je suis allée au village.

— Pourquoi au village ? La sacoche du courrier se trouve ici même, dans le hall.

— J'avais oublié de l'y mettre. Alors, j'ai décidé de la porter moi-même à la poste. Malheureusement, j'étais sortie sans mon réticule, si bien que je n'ai pas pu acheter de timbre.

— Tu oublies de mettre la lettre dans la sacoche du courrier, tu oublies ton réticule, tu décides de mettre une lettre à la poste mais tu oublies de prendre un penny pour le timbre... Ton comportement ne cesse de m'inquiéter, car il ne peut pas être mis seulement sur le compte de la distraction. Peut-être ferais-je bien de te faire soigner, toi aussi.

Abasourdie, je le dévisageai, espérant déceler quelque ironie. Mais je ne déchiffrai sur son visage que sollicitude et pitié tandis qu'il déchirait consciencieusement ma lettre en menus morceaux.

Au dîner, David avait recouvré sa courtoisie, au point que je me demandai si je n'avais pas purement et simplement imaginé la scène qu'il m'avait infligée. Mais celle qu'il avait provoquée chez Red Deakon était moins facile à gommer de ma mémoire, et son attitude envers Meg avait été des plus insultantes. Je me devais de tenter de réparer cet affront d'une façon ou d'une autre.

Aussi, le lendemain matin, après le petit déjeuner, décidai-je, à l'insu de tous, de rendre visite à Meg. A l'heure où j'arriverais, Red serait parti pour sa forge et je ne risquerais pas de le rencontrer.

Ce fut Meg qui m'ouvrit, effectivement. Son bon sourire me mit immédiatement à mon aise.

— Je suis venue vous dire que j'étais désolée, pour hier. Mon mari s'est conduit grossièrement, sans le vouloir. Il ne savait pas qui vous étiez, n'est-ce pas ? Alors...

Meg me regardait toujours en souriant, mais son sourire se faisait compatissant, et cela me fut insupportable.

— Je ne me rappelle rien dont j'aie pu être fâchée, je vous assure, me répondit-elle.

— Qui est-ce, Meg ?

C'était la voix de Red, venue du hall. Je me figeai. Je n'eus pas le temps de réfléchir à la façon dont je pouvais me tirer de ce mauvais pas. Il était déjà là, et il me regardait, avec cet air railleur que je ne connaissais que trop.

— David était venu hier vous voir pour les balcons..., commençai-je, aussi négligemment que je le pus, contente d'avoir trouvé un prétexte.

— Mais il a oublié d'en parler.

Red riait. Manifestement, l'incident l'avait diverti.

— Claudia voulait simplement savoir où en était le travail, dis-je.

Etait-ce bien cela ? Je n'en avais aucune idée. Red m'examina un moment, comme s'il s'interrogeait sur mon compte.

— Voulez-vous voir par vous-même ? proposa-t-il. Je m'apprêtais à retourner à la forge.

J'acceptai volontiers son invitation qui coupait court à mon embarras. Par mesure de précaution, il me fit revêtir une blouse et me demanda de protéger mes cheveux sous un foulard. Ainsi équipée, je le suivis dans l'atelier principal. Sur le seuil, je m'immobilisai, fascinée par l'atmosphère qui y régnait. Le bruit, la chaleur, le spectacle saisissant des hommes couverts de tabliers de cuir, qui balançaient de lourds marteaux sur le fer que leur présentaient d'autres compagnons, l'odeur du métal porté au rouge, le sifflement de la vapeur, les teintes différentes des brasiers, tout cela était aussi passionnant pour moi qu'une nouvelle mise en scène.

— Ce n'est guère un endroit pour une femme, me cria Red, par-dessus le vacarme ; mais vous avez envie de voir tout, n'est-ce pas ?

Comment l'avait-il deviné ? Je le regardai, les sourcils froncés. Il souriait.

— Vous avez un visage expressif, madame Hilyard. Vous vous trahissez constamment... Allons, pourquoi vous détourner quand je dis cela ? Voudrez-vous toujours me cacher vos sentiments ?

Curieusement, plus je fréquentais cet homme, plus je me sentais embarrassée, en sa présence.

— Puis-je voir le travail que vous avez accompli pour les balcons du Bois de l'abbé ? demandai-je, pour cacher ma gêne.

— Certainement. Par ici !

Il plaça sa main sous mon coude et me conduisit dans un autre atelier.

Là étaient entreposés des rampes, des balustrades en fer forgé, des portails, des grilles d'église, des girouettes, des enseignes d'auberge, des travaux ornementaux de toutes sortes.

— Voici quelques-uns des balcons. Ils attendent la finition. Les autres sont terminés, comme je l'ai dit à Claudia.

« Comme je l'ai dit à Claudia..... » Décidément, le prétexte que j'avais trouvé pour expliquer ma visite avait dû lui sembler bien peu convaincant. Je sentis mes joues s'empourprer et je me baissai vivement, feignant d'admirer le travail.

Mais ce fut en toute sincérité que je le félicitai pour la beauté du travail réalisé.

— Je suis content que Claudia ait décidé de

se débarrasser des têtes d'aigle, reprit-il, ignorant mon compliment, bien que votre mari les aime beaucoup. C'est compréhensible, puisqu'il est amateur d'aigles lui-même.

Il me regarda, puis enchaîna :

— J'ai vu son oiseau voler, hier. Assistiez-vous à l'exercice ?

J'acquiesçai de la tête.

— Je suppose que c'est à cette occasion que vous vous êtes prise dans les ronces ?

Pourquoi me reparlait-il de cet incident ? Insinuait-il qu'il avait deviné la vérité, qu'il ne s'était pas laissé abuser par l'histoire que j'avais inventée ?

— J'espère que votre tête vous fait moins mal, aujourd'hui ? ajouta-t-il.

— Une égratignure guérit vite.

— Votre plaie ne ressemblait pas à une égratignure, répondit-il.

En toute hâte, je changeai de conversation et lui demandai de poursuivre la visite. Il s'exécuta volontiers à mon grand soulagement.

Nous revînmes bientôt au cœur de la forge, au milieu du roulement des braises et du bruit assourdissant des enclumes. J'éprouvais une certaine déception à l'idée que nous arrivions à la fin de la visite.

Soudain, un ouvrier, qui balançait un lourd marteau d'un bras musclé, chancela et manqua son coup. La lourde masse s'abattit avec un fracas terrible. L'homme tomba à genoux, haletant.

En deux enjambées, Red fut près de lui. Il le releva, le porta jusqu'à un banc, et le fit asseoir.

— A votre âge, un homme devrait se contenter de travailler avec de petits marteaux, grommela-t-il. Quelle idée a bien pu vous prendre de soulever cette masse comme celle-là ? Vous imaginiez-vous que je ne le saurais pas ?

— Ce travail est urgent, patron, rétorqua l'ouvrier.

— Dans ce cas, je le terminerai moi-même, décida Red en retirant sa cravate. Restez assis.

Puis, il se dirigea vers l'enclume, ôta veste et gilet, releva ses manches, prit un tablier de cuir et l'enfila. Alors, apparemment sans effort, il s'empara du lourd marteau...

Je perdis la notion du temps, regardant, fascinée Red travailler. Il m'avait oubliée, mais cela m'était égal. Je ne demandais qu'à attendre. Et je ne songeai pas non plus à lui en vouloir quand, ce travail terminé, il alla lui-même plonger le fer dans le bac à trempe et, sans même m'accorder un regard, s'en retourna tout droit vers le blessé, qui n'avait pas bougé de son banc.

Le vieux lui fit un hochement de tête approbateur.

— Vous avez fait un travail magnifique, patron. Vous êtes encore capable de nous battre tous.

Red sourit.

— Vous allez rentrer chez vous pour vous reposer. C'est un ordre.

Je me sentais de trop. Je me dirigeai vers la sortie sans regarder derrière moi. J'avais oublié ce qui m'entourait.

— Aphra !

J'étais arrivée à la porte. Je la franchis et j'étais

sur le point de la laisser se refermer derrière moi, mais Red la retint. Je m'arrêtai, dans la cour, et nous restâmes à nous regarder. Red portait toujours son tablier de cuir de forgeron. La puissance, la force de cet homme étaient impressionnantes.

Il tira un mouchoir de sa poche et s'essuya soigneusement les mains. Puis il retira le foulard de ma tête. Mes cheveux défaits tombèrent sur mes épaules.

— C'est la seconde fois que je vous vois comme cela, dit-il ; la seconde fois en deux jours.

C'était une remarque banale. Comment se faisait-il qu'elle ressemblait à une caresse ?

Je retournai à son bureau et me débarrassai de la grande blouse. Il ne me suivit pas. Je me recoiffai, remis mon chapeau, mon manteau, puis je quittai la pièce, traversai la cour et pris place dans la voiture. En apparence, j'étais exactement la même jeune femme qui était arrivée là deux heures plus tôt, la jeune madame David Hillyard du Bois de l'abbé. Mais, étrangement, je ne me sentais plus la même, sans parvenir à m'en expliquer la raison.

CHAPITRE VII

Je ne racontai à personne ma visite aux Forges Deakon. Au déjeuner, nous en vînmes à parler des balcons. Claudia déclara que le travail avançait et qu'ils promettaient d'être plus dignes du Bois de l'abbé que les précédents. Je restai muette. J'avais l'impression de posséder quelque chose de très précieux, une sorte de secret que je chérissais, que je ne voulais partager avec personne.

Claudia était extraordinairement fière du château. Je me demandais si son mari avait eu le même culte avant elle et si elle croyait de son devoir de le perpétuer en mémoire de lui. Ne fallait-il pas voir quelque chose d'autre dans ce dévouement passionné, un sentiment de culpabilité, un besoin de réparer ? Claudia pensait-elle, en se consacrant totalement au domaine, pouvoir d'une certaine façon dédommager son époux de lui avoir manqué en tant qu'épouse ? Ou bien, faisait-elle cela pour son beau-frère, désireuse qu'elle était de lui garder son héritage intact, si jamais il revenait ?

Certes, son amour pour Jasper Bentine avait été coupable. Mais on ne commande pas à son cœur.

Souvent, en regardant ces initiales gravées sur la gloriette, je m'étais demandé quel homme Jasper Bentine avait été et à quoi également Lawrence avait ressemblé. Je n'avais pas encore eu l'occasion de voir ces vieilles photos prises à l'occasion des représentations montées par les amateurs du Bois de l'abbé. J'étais curieuse pourtant de me faire une idée des deux frères.

Ce même soir, comme nous étions occupées à broder des ouvrages destinés à une vente de charité, ma belle-sœur me confia son impatience à voir les ouvriers de Red Deakon terminer leur travail.

— Malheureusement les visites de Red se feront plus rares ensuite, précisa-t-elle. Il me semble qu'il nous apporte un souffle de vie, quelque chose du monde extérieur. Nous vivons peut-être trop repliés sur nous-mêmes, ici.

— Eh bien, une fois que le château aura repris son aspect normal, pourquoi ne pas recevoir davantage ? suggérai-je. Rappelez-vous votre anniversaire. Cette fête fut une réussite. Je sais que c'était une occasion particulière ; mais nous pourrions certainement monter quelques autres représentations, là-bas, dans le vallon. Pas avec des professionnels ; entre nous, ou avec des amis. Nous répéterions pendant l'hiver et donnerions la représentation au printemps.

Harriet, qui nous tenait compagnie, battit des mains, ravie.

— Je pourrais rejouer Ophélie !

— J'aimerais beaucoup revoir des photographies de ces représentations, dis-je.

Claudia déclara qu'elle ne savait pas où on pouvait les avoir mises.

— Cela fait très longtemps que je ne les ai pas vues, ajouta-t-elle.

— Elles doivent être quelque part dans le grenier, j'irai les chercher, décida Harriet, ravie.

Claudia fronça les sourcils.

— Je sais que l'escalier est branlant, à certains endroits, et que le plancher du grenier ne vaut guère mieux. Je vous interdis d'y monter.

A ces mots, Harriet se renfrogna. Elle resta là, pelotonnée sur elle-même, avec un petit sourire supérieur. Elle adorait prendre des airs mystérieux.

— David vous a-t-il jamais montré ses papillons ? me demanda brusquement Harriet, rompant le silence.

C'était au dîner, le même soir. Nous étions attablés, tous les quatre, et la conversation était tombée. J'aimais assez ces longs silences, car les propos, aux repas, étaient toujours artificiels et sans intérêt par discrétion vis-à-vis des domestiques.

Je répondis que je n'avais pas encore vu les papillons et que j'aimerais beaucoup les admirer.

— Depuis le temps que vous êtes mariée à mon cousin, il ne vous a pas encore montré cette collection qui fait sa fierté et sa joie ? se récria Harriet. Sortez les casiers après le dîner, David, que nous puissions les regarder !

Mon mari accepta de bonne grâce. Après le dîner, quand nous fûmes réunis au salon, il ouvrit un placard fermé à clé et en sortit des casiers vitrés.

La fierté éclairait le visage de David. Il exhibait ses spécimens, avec force commentaires savants que j'écoutais avec une attention soutenue.

— Comme David est érudit ! s'écria Harriet, très fière de son cousin. Et il connaît tous leurs noms latins, aussi.

— Bah, fit-il, je n'ennuierai pas ma femme avec ces détails scientifiques. Je ne peux pas espérer qu'elle les comprenne.

Claudia le regarda, surprise et agacée. Je préférai, quand à moi, feindre d'ignorer sa remarque. Je me penchai sur les vitrines, pour dissimuler la rougeur qu'une bouffée de colère avait fait monter à mes joues, et je feignis de m'intéresser uniquement à leur contenu.

David, alors, commença à ranger sa collection, refusant l'aide qu'Harriet s'empressait de lui offrir. Puis il invoqua la fatigue pour se retirer dans sa chambre, me lançant un regard qui m'invitait silencieusement à l'imiter. Je le suivis non sans exaspération.

— Il est encore très tôt, lui fis-je remarquer quand nous fûmes seuls dans notre chambre.

— Je te sens fatiguée, ma chérie, rétorqua-t-il sur un ton doucereux, et je crois qu'il serait bon que tu te reposes davantage... Si, si, j'insiste — uniquement par sollicitude, par amour pour toi. Prends ton petit déjeuner au lit et lève-toi plus tard...

— Certainement pas ! Je déteste rester couchée quand je suis réveillée.

— Je sais. Mais tu me sembles un peu nerveuse ces temps-ci. Tu as subi des émotions très fortes — la mort de ton père, l'excitation que t'a procurée cette existence nouvelle, le passage brutal de ton monde au nôtre... Tu es tendue, fatiguée. Je reconnais bien les symptômes de cette nervosité, et je crains que Claudia ne les remarque, elle aussi, avant peu.

Je ne rétorquai rien, appréhendant trop l'éventualité d'une scène.

Il me berça dans ses bras, cette nuit-là, comme si j'étais une enfant fragile.

Les journées s'égrenèrent, monotones. L'été avec ses longues soirées était terminé. Je m'engourdissais dans mon cocon d'oisiveté, exclue que j'étais de toute occupation en tant soit peu utile. Mon mari me passait toutes mes fantaisies et me traitait avec beaucoup d'indulgence mais j'avais quelquefois l'impression que son empressement était excessif. S'il m'arrivait parfois d'oublier quelque chose, même s'il ne s'agissait que d'une négligence normale et de choses insignifiantes, je prenais soin maintenant de le lui cacher. J'avais l'impression que, pour lui, une négligence n'était jamais normale, sans doute parce qu'il n'oubliait jamais rien lui-même.

Je fus surprise de constater comme on pouvait se lasser vite d'une vie composée uniquement de loisirs. Mon existence d'actrice avait été fort occupée. J'avais passé mon temps en représentations, en répétitions, à étudier de nouveaux rôles, à apprendre des vers, à travailler même à mes costumes, car ma mère m'avait appris à tout faire moi-même. Mais, dans le nouveau monde dans lequel j'évoluais désormais, une dame ne pouvait pas s'abaisser à prendre du fil et une aiguille. Celles qui savaient coudre ne pouvaient le faire que pour des œuvres de charité. Alors, faute de mieux, j'aidais Claudia à travailler pour ses bonnes œuvres, tout en écoutant d'une oreille distraite les bavardages volubiles d'Harriet.

Comment aurais-je pu imaginer qu'un jour au Bois de l'abbé, ma vie me paraîtrait aussi morne ? Peut-être aurais-je accepté plus facilement cette existence si je n'avais pas été élevée dans une atmosphère de travail acharné et d'insécurité financière, caractéristiques totalement étrangères à la famille à laquelle j'appartenais maintenant. David avait eu beau me parler des soucis d'argent de sa sœur, je n'en voyais aucune preuve. Je me rendis vite compte, d'ailleurs, que Claudia était une maîtresse de maison accomplie. Elle surveillait les domestiques et leurs activités ménagères avec diligence. Son autorité était reconnue et respectée de tous ceux qui servaient dans la maison.

Je me sentais tellement inutile que j'éprouvai le besoin de me réfugier fréquemment dans la bibliothèque.

Nous eûmes par bonheur un beau mois d'octobre. Nous en profitâmes au maximum, passant beaucoup de temps en plein air. Harriet me proposa un jour d'aller cueillir des mûres avec elle. J'acceptai avec empressement.

Malheureusement, il me fallut supporter la mauvaise humeur d'Harriet. La pauvre femme ne supportait pas l'idée que mon panier se remplissait plus rapidement que le sien. Je m'arrangeai donc pour laisser tomber subrepticement quelques poignées de mûres dans son panier, pour qu'elle gardât de l'avance sur moi. Cette attitude qui consistait à flatter les caprices de cette femme à l'équilibre mental fragile, me sembla tout à coup similaire à celle qu'adoptait de plus en plus mon mari vis-à-vis de moi et qui m'exaspérait tant.

Soudain Harriet reconnut au loin David, et courut vers lui. Il était absolument immobile. Je remarquai qu'il portait des gants, chose incongrue en cet endroit et à cette heure. Ce qui me frappa le plus, ce fut l'expression extasiée de son visage. Sa bouche entrouverte exprimait un ravissement total. Harriet l'appela, mais il leva à peine les yeux ; son regard ne fit qu'un bref aller et retour vers nous et revint à ce qu'il avait sur les genoux.

Harriet s'écria, excitée :

— Une chenille ! une chenille !

Je baissai les yeux sur les genoux de mon mari. Une chenille était empalée sur un morceau de carton blanc par une épingle et se tortillait dans les convulsions de l'agonie.

— David, par pitié, laisse-la s'en aller ! me récriai-je. Que fais-tu là ?

— Je l'étudie, bien sûr. Regarde de plus près ; tu verras, c'est fascinant. Cela fait longtemps que je recherchais ce spécimen ; aujourd'hui, je suis tombé sur une colonie entière.

Il montra d'un signe de tête un pot qu'il avait posé par terre à côté de lui. Le pot contenait des chenilles analogues qui essayaient vainement de s'échapper. C'était un horrible grouillement sous le couvercle qui avait été percé de trous pour laisser passer l'air.

— Elle prend ce qu'on appelle sa posture de défense, reprit David d'un ton scientifique.

— Lâche-la donc ! suppliai-je. Tu la tortures.

David se mit à rire.

— C'est de la sensiblerie, ma chère. Je n'ai aucune intention de la libérer. Savais-tu que cette bête minuscule émettait un poison pour se défendre ?

Harriet poussa un piaillement aigu et s'écarta d'un bond. David se mit à rire.

— Tenez-vous donc tranquille, Harriet, pendant que je donne à ma femme sa première leçon d'histoire naturelle. Elle a manifestement beaucoup à apprendre. Et d'abord à ne pas faire la dégoûtée. Approche-toi, Aphra ! Regarde ses petits poils dressés, comme de minuscules cheveux hérissés. Ce sont eux qui secrètent le poison. Celui-ci est inoffensif pour les êtres humains — à moins que l'on ne réussisse à en recueillir une assez grande quantité — mais il est mortel pour les ennemis naturels des chenilles et des papillons... Ma parole, notre petite amie est littéralement en train de se tuer elle-même, tant elle fait d'efforts pour déverser son poison !

— Ce n'est pas elle qui se tue, c'est toi qui l'assassines ! Et je suppose que tu réserves le même sort à toutes les autres ?

D'un mouvement brusque, je renversai le pot, qui tomba sur la terre molle sans se briser, mais le couvercle sauta. Des chenilles tombèrent dans l'herbe et les autres se tortillèrent immédiatement pour s'échapper aussi, mais David fut plus prompt qu'elles. En un éclair, il était tombé à genoux et les ramassait de sa main gantée, sans lâcher le carton et la chenille empalée, de l'autre main.

— Il faut que tu sois devenue folle ! s'écria-t-il furieux.

— Oui, elle est folle, elle est folle ! chantonna

Harriet, qui sautait sur place, Aphra est folle, folle, folle !

— Taisez-vous donc ! lui dis-je, furieuse.

Harriet se tut, net, comme si je l'avais frappée.

— Tenez-moi le pot, Harriet, pendant que je remets les chenilles dedans, demanda David.

Harriet me regarda, relevant fièrement la tête.

— Vous voyez ? me dit-elle, sarcastique. David n'a pas besoin de vous, mais il ne peut pas se passer de moi. J'imagine qu'il ne vous fera jamais plus confiance. N'est-ce pas, David ?

— Tenez-vous tranquille ! répliqua-t-il vivement. Et ne bougez pas le pot ! Sans cela, je ne pourrai pas à la fois tenir celle-là et m'occuper des autres.

— Eh bien, laisse-moi te débarrasser de celle-là ! m'écriai-je.

Je m'emparai du carton et arrachai l'épingle. La chenille s'enroula autour de mon doigt, dans un dernier paroxysme, et tomba à terre. Je compris qu'elle était morte. Le carton s'envola, emporté par la brise.

David était littéralement furieux. Il se planta devant moi, le visage très pâle. Mais sa fureur changea d'aspect, soudain. Il éclata de rire.

— Crois-moi, Aphra, tu regretteras ton geste, tu verras ! Attends un peu simplement !...

L'irritation que j'avais presque immédiatement sentie autour du doigt qui avait touché la chenille gagna rapidement ma main, puis mon avant-bras. Quand je m'habillai pour le dîner, toute cette zone était tuméfiée et d'un rouge vif.

— Ne t'avais-je pas dit que tu le regretterais,

mon amour ? C'est une éruption due aux toxines de la chenille mais parfaitement inoffensive. Néanmoins, tu ferais mieux de te coucher...

— Je n'y tiens pas.

David haussa les épaules.

— Comme tu voudras. Mets toutefois quelque chose pour cacher cela. Nous avons un invité pour le dîner, et je ne tiens pas à ce que tu attires l'attention. Cela susciterait des commentaires et je serais embarrassé d'avoir à reconnaître que ma femme se conduit parfois de façon déraisonnable.

J'avais déjà sorti une robe dont le bas des manches était garni de volants de dentelle qui retombaient sur les poignets. Je l'enfilai sans prendre la peine de répondre. Sous la manche longue, je sentais mon bras en feu. La douleur était tellement intense qu'il me fallait accomplir un effort pour réussir à parler ; je parvins à demander qui était l'invité.

— L'ami le plus intime de ma sœur, Red Deakon. Naturellement, je n'ai pas raconté à Claudia que je t'avais trouvée un jour chez lui, seule. Et j'imagine qu'il ne le lui dira pas non plus.

Sa réponse était pleine de sous-entendus mais je n'insistai pas sur ce sujet. Je savais que ma belle-sœur et Red Deakon étaient amis mais je n'avais aucun désir de connaître la nature exacte de leurs relations.

Je n'avais pas revu Red depuis qu'il m'avait fait visiter ses ateliers. Et je me sentais maintenant terriblement embarrassée à l'idée de le rencontrer à nouveau sous le toit de ma belle-sœur.

Jamais Claudia ne m'apparut aussi belle, aussi

souveraine que ce soir-là. Elle s'était donnée beaucoup de mal pour composer le menu du dîner, et cette marque d'estime pour Red me sembla significative. Ils formaient un beau couple, tous les deux.

Je ne contribuais guère à la conversation. Mon bras me faisait de plus en plus souffrir, et j'étais incapable du moindre effort. En revanche David et Claudia se montraient fort brillants, tandis qu'Harriet, comme d'habitude, jacassait comme une pie. Elle raconta que nous étions allées ramasser des mûres.

— Aphra ne cessait de m'en voler dans mon panier pour faire croire que c'était elle qui en ramassait le plus !

Claudia leva les yeux vers moi et me sourit. Ce fut à ce moment qu'elle remarqua que je ne touchais pas à mon assiette. Puis ses yeux se posèrent sur ma main, à demi couverte par le volant de dentelle.

— Mais, ma chère Aphra, vous vous êtes blessée !

Harriet se fit un plaisir de la renseigner.

— C'est la chenille qui lui a donné cette éruption. David l'avait pourtant mise en garde, n'est-ce pas, David ? Vous aviez bien dit qu'elle le regretterait.

— Une chenille ? se récria Claudia. Mais ces éruptions dues à des chenilles peuvent être extrêmement douloureuses ! Avez-vous mis quelque chose sur votre bras, Aphra ?

Je hochai la tête négativement. A ma grande surprise, Red Deakon s'approcha de moi et retroussa doucement ma manche. Il réprima une exclamation d'étonnement. David parut contrarié.

— Il n'y a pas là de quoi faire des embarras, dit-il, impatienté. Ces éruptions causées par des chenilles disparaissent aussi rapidement qu'elles surviennent. Et cela servira de leçon à ma femme.

Il se remit à manger comme si de rien n'était. Claudia n'avait pas bougé. Au contraire : on eût dit qu'elle s'était figée.

— Tu dois bien avoir quelque antidote pour cela, David ? demanda-t-elle. Dans ton laboratoire, peut-être ?

— Absolument rien, répondit-il, indifférent. Le mieux est vraiment de ne pas y toucher — et d'éviter de prendre des chenilles sans gants, à l'avenir.

Il me regarda en souriant, narquois.

— Il faut savoir souffrir un peu, mon amour. C'est très salutaire.

Red Deakon éclata.

— Si vous n'êtes pas disposé à la soigner, Hillyard, je me permettrai d'intervenir. J'ai une pommade assez efficace pour ce genre de choses, à l'atelier. Je vais la chercher.

David haussa les épaules et le laissa partir. Claudia était restée assise, sans bouger. Harriet regardait la porte, bouche bée : elle semblait avoir du mal à croire que l'invité avait pu quitter la salle à manger et la maison au milieu du dîner. Après cela, nous parlâmes à peine, jusqu'au retour de Red Deakon.

Ce fut donc Red qui soigna ma main douloureuse. Il s'acquitta de sa tâche avec une douceur surprenante pour un homme aussi fort. David le regarda agir d'un air méprisant et déclara que, si sa femme tenait à se comporter comme une enfant, le mieux était peut-être de ne pas la contrarier.

— Harriet n'a pas fait tant d'embarras quand elle a eu cet urticaire, l'été dernier, après s'être aventurée dans des orties, ajouta-t-il.

Là-dessus, Harriet se pavana, très contente d'elle.

— Maintenant, dit Red Deakon, quand il eut terminé, je crois que votre femme ferait mieux de se coucher.

— Je le lui avais suggéré avant le dîner ; mais il peut lui arriver de se montrer très entêtée.

— Mieux vaudrait peut-être dire stoïque, marmonna Red. Cette éruption est, de toute évidence, extrêmement douloureuse. Vous devriez faire venir un médecin à la première heure, demain matin. Peut-être avez-vous un somnifère, Claudia ?

Claudia parut enfin sortir de ses pensées. Elle semblait extrêmement contrariée. Sa réaction me touchait mais en même temps m'intriguait, car mon état n'était pas assez dramatique pour justifier l'expression anxieuse qu'elle affichait.

Elle se leva aussitôt, disant qu'elle allait chercher le somnifère et qu'elle me le monterait dans ma chambre. Elle passa même son bras autour de ma taille pour m'accompagner à l'étage, et nous montâmes l'escalier en silence.

Le somnifère me fut d'un grand secours : je n'entendis même pas David quand il vint se coucher.

Le lendemain matin, le médecin confirma la bénignité de mon mal et me conseilla de continuer à appliquer la pommade que Red Deakon m'avait prescrite.

Vers midi, comme j'étais assise dans la gloriette, à lire, je vis Red s'approcher de moi. Il me cherchait.

— Truman m'a dit que je vous trouverais ici. Apparemment, c'est un de vos endroits favoris.

Ainsi, Truman avait remarqué ma prédilection pour la roseraie. Décidément, les yeux fanés du vieil homme n'avaient rien perdu de leur perspicacité. Il était exact en effet que je trouvais cet endroit à mon goût. Harriet venait rarement m'y ennuyer parce qu'il lui paraissait trop peu ensoleillé. Mais peut-être était-ce justement l'ombre propice de ces lieux que les amants avaient appréciée... Si mon imagination s'égarait ainsi de façon romanesque, c'était, bien entendu, à cause des initiales entrelacées gravées dans le siège, à côté de moi. Ces initiales étaient-elles réellement celles de Jasper et de Claudia ? Claudia et l'homme qui avait tué son mari avaient-ils vraiment été amants ? Et Red Deakon était-il au courant de cette liaison ? S'en souvenait-il ? Je fis un calcul rapide. Red devait avoir alors dans les onze ans, — l'âge où les garçons sont impressionnables. Or, on avait dû beaucoup jaser, dans le voisinage, quand la jeune épouse de Lawrence Bentine était devenue si tragiquement veuve après neuf mois seulement de mariage.

Tout comme il avait été dit que David Hillyard avait succombé aux manœuvres d'une petite actrice intrigante ; mais j'en étais plus amusée qu'ennuyée et je n'y prêtais pas attention. La dignité de ma belle-sœur était pour moi un exemple. Claudia semblait avoir dressé un écran entre le monde et elle. Mais je savais aussi que le même écran nous séparait, elle et moi, et que je ne serais jamais autorisée à voir ce qu'il y avait derrière lui. Un seul homme, « l'ami intime » de Claudia, savait ce que l'écran dissimulait... Après tout, pourquoi se voiler la face, pourquoi ne pas parler tout bonnement de « l'amant » de Claudia, pensai-je, saisie d'une soudaine impatience, en le voyant s'avancer vers moi ? On ne connaissait pas cette façon mesquine de travestir la vérité, au théâtre. Là, rien n'était caché...

— Je suis venu constater l'état d'avancement des travaux, dit-il en me saluant courtoisement. Et je profite de l'occasion pour prendre de vos nouvelles, reprit-il.

— Je vais beaucoup mieux, grâce à vous. J'ai une dette envers vous, monsieur Deakon.

Il hocha négativement la tête, d'un air un peu impatienté.

— Allons donc, c'était la moindre des choses. D'ailleurs, je suis sûr que vous n'aimeriez pas du tout vous sentir redevable de quoi que ce fût envers un homme pour lequel vous ne voulez reconnaître que de l'aversion.

Il n'y avait rien à répondre à cela : m'en défendre eût été manquer à la vérité ; acquiescer eût été embarrassant. Je lui expliquai alors que le médecin avait examiné ma main, dans la matinée, et avait approuvé le médicament qu'il m'avait donné. Il esquissa un sourire narquois et déclara que c'était une grande concession de la part du vieux Dr Claybury, puis ajouta :

— Si j'ai bien compris, vous ramassiez des mûres et vous êtes tombée sur des chenilles ?

J'approuvai d'un hochement de tête. Je n'avais pas l'intention d'en révéler davantage. Mais, à ma grande surprise, Red remarqua :

— J'espère que vous n'avez pas laissé ces bêtes s'échapper. Cela aurait déplu à votre mari. J'ai cru comprendre qu'il aimait les recueillir. Claudia m'a dit qu'il cherchait activement des antidotes à leurs poisons... et à d'autres.

— Oui. Il est très ingénieux.

— Très ingénieux, en effet.

Ses yeux bleus me regardaient avec attention. Puis il demanda, brusquement :

— Le théâtre vous manque-t-il, madame Hilyard ?

— Je n'ai guère le temps d'y penser.

Pour tout l'or du monde, je n'aurais pas avoué que je disposais de beaucoup trop de temps et que je ne pensais que trop souvent au théâtre.

Red Deakon esquissa un léger sourire.

— Guère le temps ? répéta-t-il. Trouvez-vous la routine mondaine si absorbante ? Vous me surprenez. Je me serais attendu à ce qu'une jeune femme comme vous...

Il s'interrompit, visiblement décidé à écourter notre conversation.

— Votre mari doit être très content de vous voir aussi satisfaite, ajouta-t-il simplement en s'inclinant sur ma main.

Je le regardai s'éloigner, l'air songeur, puis décidai de regagner le château, malgré mon appréhension à l'idée de rencontrer David que je n'avais pas eu l'occasion de revoir depuis la veille au soir.

Truman, qui passait dans le couloir, m'adressa un bon sourire que je lui rendis avec plaisir. Ce vieil homme m'aimait bien et sa présence dans la maison me réconfortait. Je me rappelais encore la façon dont, le jour de mon arrivée au Bois de l'abbé, il avait examiné la vieille valise de mon père. Maintenant que je connaissais mieux Truman, je savais que ce que j'avais pris pour une sorte de mépris à ce moment-là avait été en réalité de l'intérêt.

Je n'avais pas jeté cette valise à la mort de mon père, au contraire, je l'avais rapportée au Bois de l'abbé. Cet attachement avait amusé David, mais il avait fait preuve d'une indulgence tendre à mon égard. Il avait dit à Truman de ne jeter la valise sous aucun prétexte, de la ranger avec les autres bagages. Le vieil homme avait emporté la valise élimée avec autant de soin qu'il l'eût fait d'une mallette d'un grand faiseur.

Mes appréhensions se révélèrent injustifiées : David me salua, au déjeuner, avec une grande gentillesse et s'enquit aussitôt de ma santé. Je le rassurai en lui montrant ma main. A ma grande suprise, il la porta à ses lèvres et baisa légèrement la paume et le poignet.

— Simplement pour te montrer que je ne crains pas la contagion, dit-il en riant. Ne t'avais-je pas dit que cela passerait tout seul ?

— « Avec le temps », avais-tu dit. Tu dois reconnaître que la pommade de monsieur Deakon a bien hâté la guérison.

— Pourquoi l'appelez-vous « monsieur Deakon » ? demanda Harriet. Tout le monde l'appelle « Red ».

— Je le connais depuis trop peu de temps pour me permettre ce genre de familiarités, répliquai-je.

— Je suis sûr, en revanche, que Deakon lorsqu'il pense à toi, t'appelle « Aphra », rétorqua David.

Ses jolies lèvres avaient pris une expression que j'eusse été bien en peine de définir. De l'amusement ? De l'indulgence ?...

— N'es-tu pas de mon avis, sœurette ? reprit-il. Tu connais Red plus intimement que n'importe qui, et tu admettras que ce forgeron manque de manières.

— Je ne dirai pas que je le connais « très intimement », répliqua-t-elle sans ciller. Mais je le connais bien. C'est un ami cher. Et il ne me viendrait pas à l'idée de le qualifier de forgeron.

— C'est le nom qu'il se donne lui-même, plaidai-je. Cela montre à quel point il est dénué de prétention, et c'est bien reposant.

— Oh ! je sais que tu l'admires beaucoup, dit mon mari, légèrement.

— J'admire son manque d'affectation, son honnêteté, sa franchise.

Je fus surprise moi-même de m'entendre faire cet aveu. Je n'aurais jamais eu l'idée, si je n'avais pas été ainsi poussée à le faire, d'exprimer une admiration quelconque pour Red Deakon ; mais, dans mon nouvel univers social, il était certainement l'être humain le plus authentique qu'il m'eut été donné de connaître.

Claudia changea de sujet, demanda à David s'il l'autoriserait à utiliser certaines de ses plantes de serre pour décorer le hall en vue de la vente de charité qu'elle organisait au Bois de l'abbé le lendemain.

David accepta :

— Envoyez-moi quelqu'un au laboratoire et je lui remettrai la clef.

— C'est donc là que vous gardez la clé, maintenant ? dit Harriet. Vous vous méfiez de moi, et pourtant c'est moi qui vous ai aidé hier quand Aphra a libéré les chenilles.

— Cet épisode est terminé, ma cousine. Aphra a été punie, et se repent, maintenant, dit-il en gagnant la porte.

Je sursautai.

— C'est faux ! Je n'ai aucune raison de me repentir ! protestai-je.

— Dans ce cas, il faudra que tu apprennes à le faire, ma chère épouse. Tous ceux qui me gênent dans mon travail le regrettent un jour ou l'autre.

Abasourdie, je le regardai sortir de la pièce.

Claudia m'arracha à mes pensées :

— Vous pourrez nous aider, ma chère Aphra. Auriez-vous la gentillesse d'aller prendre la clé ?

Ma belle-sœur ne formulait jamais de requête de ce genre sans un motif quelconque. Dans le cas présent, elle voulait me permettre de faire la paix avec son frère. Sa manœuvre était d'une évidence aveuglante. Mais je savais que c'était du bonheur de David qu'elle se préoccupait, non du mien.

CHAPITRE VIII

Quand j'entrai dans le laboratoire, David ne m'accorda pas même un regard. Il était penché sur une table en marbre. D'une main couverte d'un gant de caoutchouc, il maniait délicatement un instrument pointu. Je m'approchai et vit qu'il disséquait une grenouille.

Je me détournai vivement, et portai mon regard sur les rayonnages de livres.

— Là, j'ai terminé, dit-il d'une voix satisfaite. Je peux m'occuper de toi, maintenant, mon amour. Je suppose que tu es venue chercher la clé ?

Je me retournai. Armé d'une brosse, il rassemblait les débris de la grenouille morte dans un récipient d'émail, qu'il alla vider dans le fourneau. Je luttais pour cacher ma nausée mais, quand il eut refermé la porte du four, il me regarda en hochant la tête.

— Ma pauvre Aphra, comme tu es sensible ! Tu ferais mieux de ne plus revenir ici, à l'avenir.

Je me sentais sotte devant ce léger reproche, ce ton tout à la fois compatissant et impatienté.

— Ces livres paraissent intéressants, dis-je. Mais toute cette science me dépasse.

— Je m'en doute. Il y a pourtant des femmes extrêmement calées en ces matières. De nos jours, on enseigne la chimie dans beaucoup d'écoles de jeunes filles.

— C'est ce que j'ai entendu dire mais, comme tu le sais, je n'ai pas eu une instruction classique. Mon père était en vérité mon précépteur.

— Ton père ? Un précepteur ?

— Il sortait d'Oxford et il y avait obtenu une mention « très bien » en histoire et en lettres classiques. L'éducation de base qu'il m'a donnée était fort sérieuse.

David soupira.

— Là, voilà que tu recommences ! Susceptible, comme toujours... Ma parole, ton état ne cesse d'empirer !

— Je crois plutôt que ce sont tes sarcasmes, ta dérision, ce ton protecteur que tu affectes avec moi qui empirent. Je me demande si tu n'agis pas ainsi délibérément.

Il haussa les sourcils, sincèrement étonné — préoccupé, aussi. Il vint vers moi. Il s'apprêtait à poser ses mains sur mes épaules, mais je m'écartai vivement : il avait gardé ses gants de caoutchouc, tachés de sang. Il rit et les retira.

— Pardonne-moi, mon amour. Je serais navré de tacher ton joli corsage.

Il laissa tomber les gants dans l'évier et ouvrit le robinet.

— Je regrette que mon travail te répugne, mais il est très utile, très nécessaire.

— Où as-tu fait tes études ? demandai-je.

Je ne savais pourquoi j'avais posé cette question. Elle parut le surprendre.

— A Vienne, répondit-il. Mais je m'intéressais à la toxicologie bien avant mon séjour en Autriche. Mon ambition est de trouver le moyen de débarrasser nos cultures et nos bêtes de certains de leurs parasites. C'est pour cela que Claudia m'a installé ce laboratoire.

— Je croyais que Claudia avait très peu d'argent, m'étonnai-je.

Il ouvrit de grands yeux.

— Où as-tu pris cette idée ?

— Mais c'est toi-même qui me l'as dit. Tu m'as expliqué il y a longtemps déjà qu'il lui fallait entretenir le Bois de l'abbé sur le seul revenu que lui a laissé son mari.

— Sans doute, mais je n'ai pas dit qu'elle était pauvre pour autant. Tu sembles m'accuser de t'avoir menti. Serait-ce une habitude des gens de théâtre de se laisser ainsi emporter par leur imagination ? Je voudrais que tu saches que les Hillyard étaient de riches industriels du Midland. Quand nous nous sommes mariés, le pauvre, ce n'était pas moi.

— C'est exact, admis-je. Et il m'arrive de me demander pourquoi tu m'as épousée, en fait. J'ai pleinement conscience que je n'avais vraiment rien à t'offrir.

— Que ta propre personne, très désirable. Que pouvais-je demander de plus ?

Comme toujours, il changeait d'humeur instantanément. Comme toujours aussi, je sentis ma rancune fondre devant sa douceur retrouvée et j'allai à lui sans hésitation quand il me tendit les bras. Après un long baiser, il s'écarta à regret.

— Il faut que tu t'en ailles, mon amour. Claudia doit t'attendre. Je vais te montrer où je cache la clé, pour que tu puisses la ranger si je ne suis pas là quand tu reviendras. Mais ne révèle sous aucun prétexte ce secret à Harriet, n'est-ce pas ?

Je lui en fis la promesse et nous passâmes dans son cabinet de travail. Il ouvrit le rideau de son bureau et prit la clé dans un petit tiroir.

— Souviens-toi, le tiroir du milieu, à droite, me recommanda-t-il avant mon départ.

Je n'étais encore entrée qu'une fois dans la serre, peu après mon mariage, conduite par David. La serre était composée de trois sections communicantes. La première était entièrement consacrée à des arbustes. David n'avait pas pris la peine de me les montrer en détail, sachant que j'apprécierais davantage les fleurs rares, aux riches coloris. En traversant cette première section en compagnie de Claudia et d'Harriet, je pris mieux le temps de la regarder. Il régnait là une lumière verdâtre, à cause de l'abondance des feuillages qui grimpaient devant les verrières au point de couvrir presque entièrement le dôme vitré. Je vis des branches décharnées terminées par des excroissances bizarres, d'autres qui allongeaient sur la terre humide des sortes de bras d'où pendaient des griffes. Les formes végétales les plus étranges semblaient fasciner Harriet autant que je les trouvais repoussantes.

Nous pénétrâmes dans la deuxième partie de la serre dont le décor était plus à mon goût. Là, nous choisîmes les plantes qu'il nous fallait, puis revînmes avec les pots. A l'entrée, un jardinier, qui nous avait accompagnées, plaça les plantes dans une grande brouette et les couvrit soigneusement d'une toile. Je refermai la porte à clé derrière nous.

Harriet jacassait sans arrêt, comme d'habitude.

— Savez-vous comment la serre est chauffée ? me demanda-t-elle. Je le sais, moi ! David m'a montré un jour sa chaufferie. Là-bas. Regardez.

Elle me désigna à quelques mètres devant nous un petit bâtiment en brique.

— Il y a des cadrans et des tas de boutons pour faire monter ou descendre la température. David défend à quiconque d'y toucher.

Après lui avoir adressé un sourire, je retournai tout droit au séchoir à houblon. David ne se trouvait pas là ; son laboratoire était fermé, en revanche, il avait laissé son bureau ouvert. Je laissai tomber la clé dans le petit tiroir du milieu à droite et je m'en allai.

En arrivant au château, j'appris qu'une visiteuse m'attendait dans le salon de notre appartement privé, au premier. C'était Elizabeth Lorrimer. Je n'aurais jamais imaginé que je pourrais être si contente de la revoir.

Elle semblait en pleine forme. Elle me tendit

les bras, d'un grand geste théâtral, et je lui rendis chaleureusement ses embrassades.

— Maintenant, dit-elle, laissez-moi vous regarder ! Tournez-vous, tournez-vous ! Vous êtes toujours aussi gracieuse, à la ville comme à la scène. Les leçons de votre mère, bien sûr... Cette chère Petronella ! Je vois que vous portez toujours sa broche...

— Je la garde presque toujours sur moi. C'est drôle que vous vous la rappeliez ?

— Cette chère Petronella la portait déjà à l'église quand ils sont allés y échanger leurs vœux, votre père et elle. Comme les années passent ! Je n'étais encore qu'une ingénue...

— Vous semblez radieuse, Elizabeth. Sans doute George Mayfield ne vous rend-il pas la vie si pénible, après tout ?

— Ne m'en parlez pas ! Un vrai désastre, ma chère, absolument ! George ne sera jamais le grand directeur qu'était votre cher papa. Nous jouons actuellement tout près d'ici, à Folkestone !

Je tressaillis.

— Folkestone ? George m'avait écrit que le contrat n'avait pas été confirmé...

— Probablement parce que la salle était encore fermée, lorsqu'il s'est renseigné. J'ai cru comprendre que quelques difficultés inattendues ont surgi lors de la vente, mais après, tout s'est arrangé. C'est la raison pour laquelle vous me voyez ici. Folkestone est si près que j'aurais été impardonnable de ne pas vous rendre visite. Mais parlez-moi de vous. Vous me semblez un peu pâle...

Elle s'interrompit, entendant des pas, à l'extérieur. Quand la poignée de la porte tourna, elle s'était levée et me faisait ses adieux à grand renfort d'embrassades.

David entra. Il ne montra aucune surprise.

— Truman m'a informé que tu avais de la visite, mon amour. Bienvenue à nouveau au Bois de l'abbé, mademoiselle Lorrimer ! J'ai prévu une voiture pour vous reconduire à la gare.

— Mademoiselle Lorrimer ne prendra pas le train, précisai-je, car elle rejoint la troupe au théâtre de Folkestone avec lequel mon père avait effectivement signé un engagement avant de mourir.

Si je m'étais attendue à le voir surpris ou embarrassé, je m'étais trompée. Il parut simplement perplexe, comme s'il ignorait de quoi je parlais.

— Pour être juste, mon chou, dit Elizabeth, il faut reconnaître que c'est George Mayfield qui a réglé les derniers arrangements.

David prit un air poliment ennuyé. Il était resté à côté de la porte, prêt à l'ouvrir, attendant visiblement le départ d'Elizabeth.

— Merci encore d'être venue, Elizabeth, dis-je. Transmettez mes amitiés à tous.

Nous descendîmes le grand escalier. Je l'accompagnai sur le perron et lui fis des signes d'adieu.

J'avais à peine refermé la porte du salon derrière moi que je demandai des excuses à David. Il me regarda fixement.

— Pour quoi, au nom du ciel ?

— Tu m'as déclaré que mon père m'avait menti, qu'il n'avait jamais vu le nouveau propriétaire du théâtre de Folkestone !

— Sur ma vie, je ne t'ai rien dit de tel ! Se récria-t-il. Décidément, tes divagations m'inquiètent de plus en plus. Et maintenant, cette histoire de clé...

— Quelle clé ? demandai-je, saisie.

— Eh bien, la clé de la serre, naturellement. De quelle autre clé veux-tu que je te parle ? Pourquoi ne l'as-tu pas remise dans mon bureau, comme je t'avais dit de le faire ?

— Mais je l'ai remise ! Je suis allée spécialement au séchoir à houblon pour cela. Tu n'étais pas là. Je l'ai déposée dans le petit tiroir où tu l'avais prise, le tiroir du milieu...

— Ne mens pas, Aphra ! Je n'ai pas quitté mon bureau de l'après-midi. Alors, donne-moi cette clé immédiatement, et il n'en sera plus question.

J'avais le vertige. Il me semblait devenir folle.

— Je te dis que je n'ai pas la clé ! criai-je. Je l'ai remise en place ! Le tiroir du milieu, à droite... Je l'ai remise en place !

— Tu es hystérique, ma parole ! Ressaisis-toi ! Tiens-tu à ce que toute la maison t'entende ?

— Je voudrais que le monde entier m'entende ! Je veux que tout le monde sache la vérité !

— La vérité est que tu as perdu la tête. Tu es complètement déséquilibrée. Comment peux-tu espérer devenir jamais la maîtresse du Bois de l'abbé si tu as le cerveau dérangé ?

J'éclatai de rire.

— La maîtresse du Bois de l'abbé ! Tu oublies que c'est ta sœur qui l'est.

— Elle ne le sera pas toujours. Elle est veuve, rappelle-toi. Elle n'est pas trop âgée pour se remarier. Elle est encore séduisante. Je ne serais pas surpris si elle épousait Red Deakon. Ah ! cela te fait réfléchir, n'est-ce pas ? Cet homme t'impressionne beaucoup toi-même...

— Même si elle épouse Red Deakon, coupai-je vivement, ou n'importe qui d'autre, d'ailleurs, et si elle quitte le Bois de l'abbé, ce n'est pas moi qui prendrai sa place. Nous n'avons, toi et moi, aucun droit d'être ici.

— Il y a toujours un moyen d'arriver à ses fins. Regarde tout ce que j'ai fait pour le Bois de l'abbé, tout ce que je peux encore faire. Je mérite d'être le maître, ici.

— Tu dis des sottises. Tu ne seras jamais le maître de ce château. Et pourquoi essaies-tu de me convaincre que je suis déséquilibrée, que j'ai perdu l'esprit ? Te plais-tu à me torturer, comme tu te plais à empaler des chenilles, ou à emprisonner des papillons pour les faire mourir de peur, ou encore à regarder ton aigle tuer de pauvres animaux sans défense ? Et de quelles idées folles ta tête est-elle remplie pour que tu t'imagines pouvoir jamais devenir le maître du Bois de l'abbé ?

Je me détournai, lasse.

— C'est toi qui es fou, ajoutai-je.

Alors, il m'empoigna par les cheveux, tira violemment pour me redresser la tête, sous la douleur, je criai, soutenant avec effroi le regard dément qui me fixait.

On frappa à la porte. David me lâcha aussitôt, et je tombai à ses pieds. En quelques enjambées, il gagna la porte qu'il ouvrit violemment, et sortit, bousculant Claudia qui se tenait sur le seuil.

— Que se passe-t-il ? me demanda Claudia, effrayée.

Je l'entendis retenir brusquement son souffle. Elle vint à moi et m'aida à me relever. Elle m'observa un long moment, puis demanda, d'une voix soigneusement contrôlée :

— Racontez-moi !

— Il essaie de me persuader que je suis folle.

— Je ne le crois pas.

— Peut-être veut-il seulement s'en convaincre lui-même.

— Je vous dis que je ne le crois pas.

— Comme vous voudrez, dis-je, haussant les épaules.

Elle resta silencieuse. J'espérais qu'elle continuerait à se taire, qu'elle s'en irait. Plus que tout, j'avais envie d'être seule.

J'entendis la voix sèche de Claudia.

— L'avez-vous provoqué ? C'est stupide de provoquer un homme, quel qu'il soit. Vous n'avez à vous en prendre qu'à vous s'il s'est mis en colère.

— Un homme, quel qu'il soit, porte-t-il la main sur une femme simplement parce qu'il se met en colère ?

— David ne ferait jamais cela. Vous êtes une sotte, Aphra. Vous vous êtes amourachée de lui, et maintenant, vous pleurnichez parce qu'il est tombé de son piédestal. Mais je connais David comme personne d'autre ne peut le connaître. Je ne vous laisserai pas le calomnier, l'accuser de brutalité. Pas mon David !

Claudia ne serait jamais mon alliée, dans cette maison. Elle ne l'avait jamais été.

— J'ai essayé de vous mettre en garde, continua-t-elle. J'ai essayé de vous décourager, de vous faire abandonner l'idée d'un mariage entre vous. Souvenez-vous ? Vous vous êtes mariée avec lui pour le meilleur et pour le pire, souvenez-vous-en. Et vous lui devez tout. Tout !

Mais, malgré elle, sa voix avait pris un ton suppliant.

— Les gens brillants sont souvent instables et je reconnais que mon cher David peut l'être... par moments. Essayez de le comprendre mieux. Rappelez-vous qu'une épouse ne peut pas s'enfuir au premier petit ennui qui survient dans son ménage.

— Certaines femmes le font, pourtant, rétorquai-je. D'une certaine manière. Elles prennent des amants, par exemple. Comme vous-même qui vous êtes consolée avec Jasper !

A peine avais-je lancé cette accusation que je la regrettais. En voyant Claudia se raidir et battre en retraite, j'eus envie de la supplier d'oublier mes paroles, mais mes lèvres rétives ne purent s'y résoudre.

Une idée me frappa. Je ne voyais qu'une façon de lui demander son aide.

— Attendez, Claudia ! M'avez-vous vue fermer à clé la porte de la serre ?

— Naturellement.

— Qu'ai-je fait de la clé ?

— Vous êtes allée au séchoir à houblon la rendre à David. Je vous ai vue partir.

— Voyez-vous, David ne croit pas que j'aie rapporté la clé. Quand je suis allée au séchoir à houblon, le bureau était vide. J'ai remis la clé à l'endroit où il l'avait prise mais il affirme qu'elle ne s'y trouve pas maintenant. Il prétend qu'il n'a pas quitté son bureau de l'après-midi et que je n'y suis pas entrée. Or, je sais bien ce que j'ai fait, tout de même !

Elle réfléchit, puis reprit :

— Maintenant que j'y pense, je ne peux pas être absolument sûre de vous avoir vue réellement tourner la clé. Je vous ai vue refermer la porte, cela oui. Mais peut être avez-vous laissé tombé la clé quelque part, ou l'avez-vous posée sur une étagère pendant que nous choisissions les plantes... Oui, vous pourriez bien avoir fait cela, pour avoir les mains libres, n'est-ce pas ? Ne croyez-vous pas qu'il vaudrait mieux retourner là-bas pour vous en assurer ?

A la réflexion, c'était peut-être une explication.

Je finissais par douter de moi, par prendre peur. De toute façon, je voulais en avoir le cœur net.

— Très bien, dis-je, je vais vérifier.

Les doigts sur le lourd bouton de la porte, je regardai fixement le trou de la serrure. Il était vide ! Et la porte était ouverte ! J'essayai de me rappeler tous les gestes que j'avais accomplis pendant ma première visite. J'avais tourné la clé pour ouvrir la porte quand nous étions arrivées, toutes les trois. L'avais-je retirée ensuite ou l'avais-je laissée dans la serrure, pour l'y retrouver quand nous repartirions ?

Dans l'hypothèse où je l'avais prise, l'avais-je posée quelque part, comme Claudia le suggérait ? Dans ce cas, elle devait se trouver dans la troisième partie de la serre.

Je pénétrai dans le local, refermai la porte derrière moi et m'adossai au battant. J'avais du mal à réfléchir, plus encore à raisonner. J'étais tellement certaine d'avoir porté la clé au bureau de David et de l'avoir rangée dans ce petit tiroir, pourtant...

Il fallait absolument que je me remémore et que je répète tous les gestes que j'avais faits, à partir du moment où nous étions entrées dans la serre, toutes les trois, jusqu'au moment où nous en étions sorties. Voyons, nous avions traversé la première section. Claudia et moi, nous étions passées les premières dans la seconde, laissant Harriet nous suivre. Là, nous nous étions arrêtées... oui, je me le rappelais nettement. Nous nous étions arrêtées pour admirer les orchidées et, oui, j'avais la clé dans ma main, à ce moment. Je me souvenais l'avoir fait passer dans ma main gauche et avoir tendu la main droite pour toucher une fleur particulièrement merveilleuse.

Puis nous avions pénétré dans la troisième section où nous avions choisi les fleurs. Puis nous avions transporté les plantes, une par une, jusqu'à l'entrée, et les avions remises au jardinier qui attendait à la porte avec la brouette. Donc, presque sûrement, c'était dans cette dernière section de la serre que j'avais pu poser la clé.

J'avais dû la reprendre machinalement, me dis-je, car j'étais bien certaine de l'avoir reportée au bureau de David et de l'avoir remise à sa place. Je m'accrochais à ce souvenir, convaincue qu'il n'était pas imaginaire. Mais il fallait que je le prouve. La première chose à faire était de m'assurer sans doute possible que je n'avais pas laissé la clé dans la serre.

L'obscurité croissait. Je décidai de retourner au château et de demander à Truman de me donner une lanterne : et surtout de m'assister dans mes recherches. Un témoin serait peut-être utile.

Je revins donc en arrière d'un pas vif. Je tendis la main vers la porte...

Elle était fermée à clé. J'étais prisonnière !

Prise de panique, je poussai un cri que j'étouffai aussitôt, réalisant que personne ne pouvait m'entendre.

Je retirai alors une épingle à cheveux de ma chevelure, l'enfonçai entre la serrure et la porte, la promenai de haut en bas : le pêne était solidement en place. La porte ne s'était pas bloquée accidentellement. On avait fermé la serrure à clé délibérément, pendant que je me trouvais dans la dernière section de la serre !

Je frappai du poing sur le cadre métallique de la porte, sans autre résultat que de passer inutilement ma fureur et de me meurtrir la main. Je retirai ma chaussure et en martelai le verre épais, sans plus de succès.

Des gouttes de sueur commençaient à perler à mon front. Je refusai de céder à la panique qui eût miné mon énergie et m'eût empêchée de réfléchir de façon cohérente.

Il n'existait qu'une seule clé de la serre : celle que David m'avait confiée. Il avait dû finir par la trouver là où je l'avais rangée et avait dû venir s'assurer que la porte de la serre était fermée à clé. Et bien entendu, il était à cent lieues d'imaginer que je me trouvais à l'intérieur. Il n'avait pas dû me voir, parce que je me trouvais alors dans l'une des deux sections les plus éloignées et parce qu'il commençait à faire sombre.

Tout cela était très raisonnable, quand on y réfléchissait. Il n'y avait vraiment pas de quoi prendre peur. Il me suffisait d'attendre patiemment l'heure du dîner pour qu'on s'aperçût de mon absence. De plus, Claudia s'inquièterait sûrement de ne pas me voir revenir.

Seigneur, qu'il faisait étouffant ! Il me semblait que la chaleur augmentait de minute en minute. J'allai m'appuyer contre la vitre où j'espérais trouvers de la fraîcheur. A peine l'avais-je touchée que je reculai : elle était brûlante !

Je sentais mes jambes se dérober sous moi. Je suffoquais.

Un sursaut de terreur précipita à nouveau mon corps contre la porte, arracha des cris à ma gorge, dans un dernier appel au secours frénétique. De mes poings, je frappai à nouveau les vitres sans plus d'effet qu'auparavant...

Il fallait que je fisse une dernière tentative avant de sombrer définitivement. Je devais absolument fracasser cette paroi de verre ! Seul un objet lourd pourrait y parvenir. Un pot ! J'en avais repéré certains qui étaient remplis de terre près de la porte d'entrée.

A quatre pattes et à tâtons, je réussis à m'en emparer d'un.

Je priai Dieu qu'il me donnât l'énergie suffisante, et il exauça ma prière. Dans un dernier effort surhumain, je projetai la lourde poterie contre la vitre. J'entendis un fracas de tonnerre. Je tombai à terre et me couvris la tête de mes bras. Puis, quand enfin tout fut calme, je me relevai prudemment et fis face à l'air frais qui affluait sur moi par le trou béant. Je restai là, prostrée mais respirant de plus en plus profondément. Je me mis à frissonner, mais cela m'était égal. J'étais vivante, vivante !

Des bruits. Des voix. Des pas qui couraient. Des visages — ceux de Claudia, de David ; d'Harriet, aussi. Et puis Truman, ce bon vieux Truman. Il levait une lanterne au-dessus de moi. Il fut tellement saisi, à ma vue, qu'il en resta cloué sur place, et muet, à me regarder fixement. Claudia paraissait stupéfaite, elle aussi. Harriet ouvrait de grands yeux excités. Quant à David... il ne me regardait même pas. Il avait les yeux fixés sur le trou béant dans la paroi vitrée et le pot brisé dont le contenu s'était répandu moitié dans la serre, moitié dehors. Ses lèvres étaient exsangues. Soudain, son beau visage se crispa dans une grimace.

CHAPITRE IX

Personne ne me crut, naturellement. David moins que tout autre. Il était resté à l'extérieur, trop stupéfait pour bouger, même, et il me regardait avec une incrédulité totale.

Claudia et Truman m'aidèrent à me lever. Je répétais, machinalement, que j'avais trouvé la porte fermée à clé quand j'avais voulu sortir.

— J'étais prise au piège. La température montait sans cesse. Quelqu'un a modifié le réglage ; on a essayé de me tuer !

Je claquais des dents, je tremblais de tout mon corps.

— Elle est à bout de nerfs, dit Claudia. Il faut la mettre au lit, tout de suite. Aidez-moi...

— Ne perdons pas notre temps, s'interposa David. Vous voyez bien qu'elle peut tenir debout toute seule. Je ne tiens pas à ce que tout périsse... Il faut réparer cette vitre !

— Dans ce cas, je m'occuperai seule d'Aphra, décida Claudia. Laisse-moi faire.

— Avec grand plaisir.

Il lâcha mon bras, comme si mon contact lui était insupportable.

Ce fut donc Claudia qui m'aida à me débarrasser de mes vêtements trempés de sueur, qui me mit au lit, qui m'apporta du brandy.

— Je vais faire préparer une autre chambre pour David, pour cette nuit, dit-elle enfin. Personne ne vous dérangera. Demain, vous vous sentirez mieux et vous pourrez nous raconter ce qui s'est passé.

— Je vous l'ai dit. Pendant que je me trouvais à l'intérieur, quelqu'un a fermé la porte à clé puis s'en est allé. La chaleur s'est mise à monter terriblement ; je suffoquais... Je ne sais qui a trafiqué la chaudière après m'avoir enfermée dans la serre, mais...

Claudia me caressa le front, écartant mes cheveux encore humides de sueur.

— Vous ne savez plus ce que vous dites. La serrure a dû se bloquer, simplement, vous empêchant de l'ouvrir de l'intérieur. Ou bien, vous avez essayé de tourner le bouton du mauvais côté. Vous avez vu vous-même qu'elle s'est ouverte dès que Truman a touché la porte. Quant à cette chaleur anormale, quelque chose a dû se dérégler simplement dans la chaudière. Demain, vous ne penserez plus à ces sottises. Vous aurez oublié tout cela.

A quoi bon répondre ? Je fermai les yeux, trop épuisée pour en dire davantage, consciente seulement de mon soulagement à l'idée que je ne reverrais pas David ce soir.

Le sommeil m'enveloppa...

... La voiture roulait sur un chemin de campagne. Je regardai les mains qui tenaient les rênes. Je fus surprise de voir que c'étaient celles d'Elizabeth Lorrimer.

— J'ignorais que vous saviez conduire une voiture, dis-je.

— Ne dites donc pas de sottises ! répliqua-t-elle. C'est moi qui ai emmené vos parents à l'église du Saint-Sauveur quand ils sont allés y échanger leurs vœux. Vous n'y étiez pas.

— Ne dites pas de sottises vous-même ! ripostai-je. Comment aurais-je pu y être ? Je n'étais pas encore née, à ce moment-là.

— Naturellement. Vous n'avez pas trop froid ?

Sans même s'arrêter, elle leva le bras et remonta la capote. Le véhicule devint alors de plus en plus lourd. Il y fit de plus en plus chaud. Soudain, il n'y eut plus de coupé. Nous nous trouvions dans un coche de voyage. Elizabeth, grimpée sur le siège du cocher, conduisait toujours, mais j'étais à l'intérieur, moi, et les portières étaient fermées à clé. J'essayai de baisser les glaces, mais elles étaient hermétiquement closes, elles aussi. L'air devenait de plus en plus brûlant. J'étouffais. Je tapai du poing sur le toit de la voiture, criant qu'on me fît sortir, mais Elizabeth se contenta de rire et mena les chevaux de plus en plus vite. Brusquement, le véhicule s'arrêta. David ouvrit la portière.

— Pourquoi ne sortez-vous pas ? dit-il. Rien ne vous en empêche. Vous n'aviez qu'à ouvrir la portière et à descendre.

Je descendis. Elizabeth avait disparu. Il n'y avait plus que David et moi, et le grand aigle de pierre, au-dessus de ma tête. Nous étions devant le portail du Bois de l'abbé. David me prit par les épaules et me força à lever la tête vers l'aigle. Je vis alors que ce n'était pas l'aigle de pierre ; c'était Conrad. Il fixait son regard diabolique sur moi et étendait les ailes, prêt à fondre sur moi. La terreur me paralysait.

David s'éloigna. L'aigle piqua. Il me semblait grandir. Il arriva juste au-dessus de ma tête. Sous ses ailes immenses, tout était obscurité, autour de moi. Je hurlai — et, soudain, je m'aperçus que ce n'était pas un aigle ; c'était un dragon qui tenait un gantelet de cotte de mailles dans sa gueule. Red Deakon surgit, en me tendant la main. J'essayai de la saisir, mais plus j'avançai la main, plus Red s'éloignait. Je me mis à sangloter, terrifiée. Red s'en allait, alors que j'avais tant besoin de lui. Il disparut et je me retrouvai enfermée dans le coche, suffoquant, étouffant...

Je me réveillai en sursaut. Allongée dans mon lit, dans la chambre obscure et silencieuse, je ne bougeais pas, tentant de chasser ce cauchemar de mon esprit. Puis prudemment, j'écartai le bras, tâtai, de l'autre côté du lit, la place que mon mari occupait d'habitude. Le drap était froid, le lit vide. Ainsi, Claudia avait tenu parole. Elle avait persuadé David d'aller passer la nuit ailleurs. Mais peut-être n'avait-elle pas eu besoin d'user de persuasion ? Ce visage blanc, convulsé, la façon dont il m'avait regardée à travers la paroi fracassée de la serre, m'avaient fait comprendre très clairement que David n'avait aucun désir de m'approcher...

Quand je m'éveillais, Claudia était à mon chevet. Elle m'avait apporté mon petit déjeuner. Elle m'apprit qu'il était dix heures passées.

— Je vous ai monté ce plateau moi-même, expliqua-t-elle. Je me suis dit que vous ne tiendriez pas à ce que quelqu'un d'autre vous voie, en ce moment.

Naturellement, tout le monde comptait bien que j'éviterais de me montrer.

— J'ai persuadé David de ne pas s'approcher de vous aujourd'hui, reprit-elle. J'avoue que c'est autant dans son intérêt que dans le vôtre. Il est hors de lui, à cause des dégâts que vous avez provoqués. Que vous avez été sotte de vous laisser envahir par la panique, ma chère ! Tout cela parce que vous n'avez pas su ouvrir la porte, parce que vous avez tourné le bouton dans le mauvais sens ! Et quelle idée insensée de fracasser ce vitrage ! Vous avez eu de la chance de ne pas vous couper. Vous imaginiez bien que, dès qu'on se serait aperçu de votre disparition, on serait allé à votre secours. Je savais où vous étiez allée, moi...

— Oh oui ! coupai-je. Vous le saviez fort bien, puisque c'était vous qui m'y aviez envoyée.

— Je vous avais simplement suggéré d'aller vérifier si vous n'y aviez pas laissé la clé, corrigea-t-elle doucement.

— Eh bien, je n'avais pas oublié la clé dans la serre, n'est-ce pas, puisqu'on s'en est servi pour m'y enfermer ! Puis pour m'en faire sortir. Car il faut bien que quelqu'un ait à nouveau déverrouillé la porte, pendant que j'étais prostrée, accablée par la chaleur. La même personne qui avait fait monter la température de la serre...

— Voyons, Aphra, dit ma belle-sœur, patiemment, ne recommencez pas à porter des accusations folles ! Personne ne vous croira. Vous ne réussirez qu'à vous rendre ridicule — et, bien entendu, à mettre David encore plus en colère.

— Tout ce que j'ai dit est vrai, affirmai-je obstinément, quelqu'un m'a enfermée à clé ; quelqu'un a monté le chauffage ; quelqu'un a délibérément trafiqué la chaudière. Ce quelqu'un ne pouvait avoir qu'un seul motif : chercher à me tuer.

Claudia soupira patiemment.

— Quelle imagination, ma chère Aphra ! Après vous avoir quittée, je suis descendue directement au salon, où Meg Deakon m'attendait. Elle est la cousine par alliance de Red. Elle tient sa maison...

— Oui, je sais.

Claudia parut surprise. Je me rappelai qu'elle ne savait rien de la visite que j'avais rendue chez Red, puisque David avait préféré ne pas lui en parler.

— Elle m'a apporté un tas de choses pour la vente de charité, précisa Claudia. C'est Red qui l'a amenée ici. Nous avons tous pris un verre de sherry ensemble. Harriet nous a rejoints, puis David. Après leur départ, madame Stevens est venue demander si vous comptiez descendre dîner. C'est alors que je me suis rappelé que vous étiez allée à la serre, il y avait plus d'une heure de cela. Naturellement, nous nous sommes inquiétés... Mais au fait, comment avez-vous fait pour entrer dans la serre ?

— A ma grande surprise, la porte était ouverte. C'est comme cela que j'ai pu entrer.

— Et c'est pour cela aussi qu'elle n'était pas fermée non plus quand nous sommes allés à votre secours.

Je ne répondis pas. A quoi bon ? Je pris la tasse de café et bus avec plaisir. Je promis à Claudia de manger tout ce qu'elle m'avait apporté, et elle s'en alla, satisfaite.

Dès qu'elle fut partie, je me levai. Je pris un bain et je m'habillai avec soin. Il était important que je me montre à la vente de charité. Puis j'allai chercher ma vieille boîte à maquillage dans le tiroir de la commode où j'avais rangé des souvenirs de mon passé et, très soigneusement, de façon très discrète, je dissimulai les brûlures légères qui rougissaient mon visage.

Je me dirigeais vers la porte quand mon attention fut attirée par des bruits venus du cabinet de toilette de mon mari. Je tendis l'oreille et, percevant un bruissement de jupes, j'ouvris la porte brusquement.

Harriet était à genoux devant le grand tiroir du bas de l'armoire. A ma grande surprise, je la vis essuyer la surface du meuble avec un chiffon.

Elle fut tellement saisie de me voir apparaître, qu'elle retomba en arrière, sur les talons, le chiffon dans une main, l'autre plongeant immédiatement dans une poche de sa jupe. Nous nous regardâmes fixement.

— Je... je croyais que vous dormiez ! hoqueta-t-elle.

— Et alors vous avez veillé à ne pas faire de bruit ?

— Naturellement.

Elle se leva. Elle était complètement remise de sa surprise.

— Je suis montée chercher un mouchoir pour David, expliqua-t-elle. Il est occupé, en bas.

Elle traversa la pièce, une main toujours cachée dans sa jupe.

— Et je suppose que c'est cela que vous avez mis dans votre poche quand je suis entrée ?

— Bien sûr, dit-elle, désinvolte.

Et, passant son chemin, elle ajouta :

— Vous avez causé des dégâts terribles aux plantes de David. Je ne serais pas étonnée si la plupart d'entre elles mouraient. Vous n'avez pas honte ? Je peux vous dire que David est terriblement en colère. Je sais toujours ce qu'il ressent, ce qu'il pense.

Elle sortit dans le couloir, chantonnant toute seule, se souciant peu que je crusse ou non son histoire de mouchoir. Bien entendu, je ne la croyais pas. Elle avait saisi le premier prétexte venu. Harriet avait une mentalité puérile et pouvait se montrer rusée, comme les enfants. Mais ses ruses étaient transparentes. Je savais parfaitement que les mouchoirs de David étaient rangés dans le tiroir du haut à droite de la commode. Qu'avait-elle bien pu chercher dans ce grand tiroir du bas de l'armoire ? Je me baissai : le tiroir était fermé à clé...

Songeusement, je sortis de ma chambre. Je m'arrêtai sur la galerie pour regarder le hall, audessous de moi — comme je l'avais déjà fait un autre soir, il y avait de cela si longtemps, me semblait-il ! La vente de charité devait ouvrir officiellement à midi mais la salle était déjà pleine de gens du village qui observaient avec une admiration respectueuse le décor. Il y avait aussi là des membres de la bonne société locale, des amies de Claudia qui partageaient ses activités charitables. Sur des tables dressées le long des murs, des ouvrages au crochet ou au tricot, des travaux d'aiguille de toute sorte, des fruits et des fleurs cultivés dans le domaine étaient exposés.

Claudia allait de table en table, vérifiant que tout était bien en ordre, avec un compliment pour chacun. David était là, lui aussi, affable, offrant à tout le monde son plus charmant sourire, félicitant toutes ces bonnes dames charitables, recevant les saluts et les références en seigneur et maître.

J'entendis un pas, près de moi. C'était Red Deakon qui, à un mètre ou deux de moi, me regardait attentivement, comme le soir du bal. La situation était identique. Nous étions vêtus autrement, simplement, et la compagnie qui se pressait dans le hall était différente.

— Je vous ai vue, d'en bas, dit-il, et je suis monté m'informer de votre santé.

— De ma santé ? répétai-je, saisie.

— Votre belle-sœur nous a dit que vous ne vous sentiez pas bien.

Ses yeux d'ambre observaient mon visage. Mon maquillage avait-il été si maladroit ? Ma main monta malgré moi à ma joue.

— Oh ! dis-je, ce n'est rien. Je me suis cognée dans la porte de la serre, c'est tout.

Il fronça légèrement les sourcils, d'un air intrigué.

— J'ai appris en effet ce matin que la serre à laquelle votre mari tient beaucoup avait été endommagée. Une vitre brisée, je crois ?

— Oui, je me suis heurtée à une porte entrouverte et cela a causé un... petit accident. Il y a eu du verre cassé.

— Mais vous n'avez pas été blessée ?

— Oh non !

— Un choc dans le cadre métallique d'une porte, cela a dû être extrêmement douloureux. Cela explique que votre joue soit légèrement enflée, je suppose ? Je comprends maintenant pourquoi vous aviez la migraine hier soir. Je voyais bien que Claudia se faisait du souci pour vous. Je n'en suis plus surpris.

Il baissa les yeux sur le hall grouillant de monde.

— Etes-vous certaine de vous sentir assez bien pour affronter cette foule ?

— Oh ! parfaitement.

— Permettez-moi de vous accompagner, dans ce cas.

Il tendit le bras et je posai ma main dessus. Nous descendîmes ainsi dans le grand hall, côte à côte.

— Une réunion assez différente de celle du soir du bal, n'est-ce pas, madame ?

— Très différente, en effet.

— Me permettrez-vous de dire que vous me paraissez aussi charmante dans cette robe simple que vous portez aujourd'hui que vous l'étiez le soir du bal ?

Je le remerciai d'un simple sourire poli, doutant de sa sincérité.

— Vous ne portez pas votre broche, aujourd'hui ? reprit-il. C'est inhabituel de vous voir sans elle.

— Il me semble encore plus inhabituel qu'un homme remarque un tel détail...

— Ordinairement, peut-être ; mais le dessin de cette broche a retenu mon attention, parce que je l'ai déjà vu quelque part.

— Où donc ? demandai-je, un peu surprise.

— Je vous montrerai l'endroit un jour, si votre époux veut bien m'autoriser à vous y conduire.

Nous étions arrivés au bas de l'escalier. David s'était approché de nous.

— Où donc devrais-je vous permettre de conduire ma femme, Deakon ?

David prit ma main et la baisa.

— Je proposais à votre épouse une simple promenade en voiture jusqu'à Canterbury où je dois moi-même accompagner ma cousine. Je sais que Meg apprécierait beaucoup une compagnie féminine pour la conseiller dans ses emplettes.

— Hélas ! je crains que ma chère Aphra ne soit pas tout à fait en état de courir les routes...

J'interrompis David énergiquement :

— Certes si ! Une sortie me ferait sûrement beaucoup de bien. N'êtes-vous pas de cet avis, Claudia ?

Où que fût David, on était sûr de trouver sa sœur à ses côtés — j'en avais du moins l'impression, ce jour-là. Elle était si près qu'elle n'avait pas pu ne pas entendre notre conversation.

— Bien sûr. Puisque vous vous êtes sentie assez bien pour descendre, vous serez certainement assez vaillante aussi pour aller vous promener en voiture. Je suis d'ailleurs ravie de vous voir rétablie.

A l'entendre, on l'eût crue sincèrement préoccupée de ma santé. Il est vrai qu'on eût pu en dire autant de mon mari. A voir la façon dont il me baisait la main, la sollicitude dont il m'entourait, son empressement, on l'eût pris pour le mari le plus attentionné du monde. Mais je devinais maintenant une froideur glaciale derrière ses manières et je savais qu'il ne m'avait pas pardonnée. J'avais causé des dommages considérables à ses plantes précieuses et je n'éviterais pas une punition. Comme je serais punie, aussi, pour avoir porté des accusations folles et terribles. David était seul à s'occuper de la chaudière ; il était donc seul à avoir pu en élever la température. Il resta à mon côté pendant tout le reste de la matinée, me baisant la main en toute occasion, me choisissant les morceaux les plus délicats au buffet, me pressant de manger mais j'étais consciente que, sous ce masque de sollicitude tendre, il me guettait, comme un oiseau de proie, comme l'aigle du portail...

Nous quittâmes le Bois de l'abbé avant la fin de la vente de charité. Mon mari, pourtant, m'avait demandé de renoncer à cette promenade. Je savais qu'il avait hâte de me reprocher d'avoir endommagé la serre, aussi prétextai-je mon engagement vis-à-vis de Meg pour me soustraire à son ordre. C'était de la folie de le défier, naturellement mais c'eût été de la folie aussi de céder. D'ailleurs, il n'était pas dans ma nature de m'incliner aussi facilement. Je ne voulais retirer aucune des accusations que j'avais portées car la peur que j'avais ressentie la veille ne m'avait aucunement fait perdre la tête. J'avais la certitude que tout ce qui m'était arrivé était le résultat d'une machination délibérée. On avait très bien organisé mon emprisonnement, puis ma mort lente par suffocation. La seule chose qui n'était pas claire, et qui ne le serait peut-être jamais, c'était la raison de ces manœuvres.

Red se rendit directement à Canterbury où il déposa, sa cousine, après avoir convenu d'une heure et d'un lieu de rendez-vous en vue du retour. Si bien que nous nous rendîmes seuls, Red et moi, au village élizabéthain de Chilham, but de la promenade.

La célébrité de ce petit bourg était justifiée : l'endroit était vraiment magnifique. Mais Red ne me laissa pas le temps de m'attarder dans le village. Il gagna directement l'église, attacha les chevaux et me conduisit à l'intérieur.

— Voici ce que j'ai promis de vous montrer, dit-il.

C'était une plaque tombale, près de l'autel. Elle représentait un moine à la tête tonsurée, surmonté d'armoiries : dans un des quartiers de l'écu, je vis un dragon qui tenait un gantelet de cotte de mailles dans sa gueule.

Il n'y avait pas d'inscription, rien qu'un nom et une date : *MEDRITH NEVTON, 1631.*

— J'imagine que c'est une des dernières plaques tombales qu'on ait confectionnées dans le Kent, dit Red, car cet art est tombé en désuétude vers cette époque. « Medrith » était la version ancienne de « Meredith », et « Nevton » a fini par devenir « Newton ». Ces noms ont-ils une signification pour vous ? Il me semble que cela devrait vous dire quelque chose, puisque la broche de votre mère porte le même emblème. S'appelait-elle Newton, de son nom de jeune fille ?

Le plus extraordinaire était que je n'en avais aucune idée. Ma mère n'avait jamais fait d'allusion à la vie qu'elle avait menée avant d'épouser mon père, et lui non plus. Quant à moi, j'avais été totalement dépourvue de curiosité. Je compris que cela pouvait paraître extraordinaire à qui ne connaissait pas les mœurs du théâtre.

— Les gens de théâtre ne vivent que dans le présent, expliquai-je. Jamais dans le passé ou pour l'avenir.

— Cela explique pourquoi vous étiez tellement désireuse de trouver la sécurité, dit gentiment Red Deakon. Je l'ai bien vu, tout de suite, même de loin.

— Vous faites allusion à... à la façon dont vous m'avez surprise en train de caresser les rideaux de velours ?

Le souvenir de ce moment était encore si vivace dans mon esprit que je fus incapable de soutenir le regard de Red.

— Oui. Cela m'avait touché. Je n'ai pas pu m'empêcher de sourire.

— J'ai vu que vous vous moquiez de moi, en effet.

— Vous vous êtes trompée. Je ne songeais guère à me moquer. Mais c'est vrai que vous m'avez fait un peu pitié. Il ne ne faut pas vous en fâcher, ni de cela ni des mises en garde que j'ai essayé de vous donner par la suite. Vous sembliez si vulnérable ! Et vous l'étiez. Vous l'êtes toujours. C'est une des raisons pour lesquelles je vous ai amenée ici.

Il me toucha l'épaule, et je dus lutter contre mon instinct qui me poussait à me rapprocher de lui.

— Je ne voudrais pas me mêler de ce qui ne me regarde pas, dit-il, mais j'ai l'impression qu'il vous serait utile de retrouver vos origines. Quand j'ai vu votre broche, j'ai reconnu immédiatement l'emblème héraldique. Voyez-vous, le premier Red Deakon a acheté ses terres, à une veuve du nom de Newton. Mon père a passé son temps à étudier l'histoire de cette région et des vieilles familles locales. Les Newton étaient du nombre, mais leur histoire est très incomplète. Je crois qu'il serait intéressant de chercher de ce côté-là. Il pourrait y avoir eu d'autres descendants Newton. La veuve croyait que la famille avait fini par s'éteindre, mais cela ne prouve rien. Quand la crise économique a frappé le Kent, beaucoup de gens des environs ont émigré. L'acte de mariage de votre mère pourrait donner des indications. Vous y trouveriez tout au moins son nom de jeune fille.

En effet. Mais où cet acte était-il passé ? Il aurait dû se trouver dans le coffret de mon père, avec ses autres papiers. Or je ne me souvenais pas de l'avoir vu.

— Ce papier a dû être perdu, dis-je. Je sais que mes parents se sont mariés à l'église du Saint-Sauveur de Chelsea, parce que mon père me l'a dit. Et Elizabeth Lorrimer me l'a confirmé. Elle y était.

Je gardais les yeux fixés sur la plaque tombale qui me rappelait une autre plaque, et l'inscription que j'avais lue dessous : *Ci-gît la dépouille mortelle d'Aphra Nevton, épouse de Medrith Nevton...* Aphra Newton, la petite épouse pathétique, morte de la peste, à vingt et un ans. Son mari lui avait donc survécu vingt-trois ans. Pourquoi était-il enterré ici et non à côté d'elle ? Peut-être parce que d'autres Nevton y étaient déjà ensevelis. Je relevai le même nom sur d'autres pierres tombales, à terre ou sur les murs.

Je me demandais maintenant pour quelle raison mes parents étaient entrés dans cette autre église de campagne. S'y étaient-ils rendus intentionnellement, sachant ce qu'ils y trouveraient ? Mais, si leur visite n'avait pas été accidentelle, pourquoi mon père m'avait-il dit qu'elle l'était ? Il était trop tard maintenant pour le lui demander.

— Le fait que ma mère possédait une broche portant cet emblème, transmise par sa mère, ne prouve pas qu'elle descendait de cette famille, dis-je. La broche a pu tomber entre les mains de ma grand-mère d'une autre façon. Son mari la lui a peut-être achetée chez un bijoutier antiquaire, par exemple.

— C'est vrai. Mais il doit être possible de

retrouver la trace du mariage de vos parents à l'église du Saint-Sauveur.

Certes, mais comment pourrais-je me rendre à Chelsea pour m'en assurer ? David n'avait-il pas déjà prétendu m'empêcher d'accomplir cette simple promenade. Nous sortîmes de l'église. Je n'avais pas appris grand-chose, et pourtant, en m'en allant, j'avais une impression curieuse : pour la première fois de ma vie, il me semblait que je me découvrais des racines ; je commençais à croire que j'avais vraiment ma place, quelque part dans le monde.

Quelque part. Mais sûrement pas au Bois de l'abbé où j'appréhendais de me retrouver tête à tête avec mon mari.

Lorsque je descendis pour le dîner, alors que je m'apprêtais à affronter une scène conjugale, David m'accueillit par de grandes démonstrations d'affection, me demandant si cette sortie m'avait plu, remarquant que mes joues avaient repris de belles couleurs. Il m'embrassa même. Cette « clémence », loin de me rasséréner, suscita ma méfiance.

Je vis que Claudia nous observait. Comme toujours, le visage de ma belle-sœur était indéchiffrable. J'allai la rejoindre. Elle me complimenta, elle aussi, sur ma mine.

— C'est bon de vous voir redevenue vous-même, Aphra. Vous êtes vraiment redevenue vous-même, n'est-ce pas ?

Cela voulait dire que je ne porterais plus d'accusations folles, que je ne ferais plus rien qui risquât de bouleverser son univers bien ordonné.

— Je me sens très bien, affirmai-je.

Je détournai vivement mon regard, et mes yeux tombèrent sur Harriet qui me fixait, l'air maussade. Pour elle — et pour Claudia aussi, peut-être — les attentions dont mon mari m'entourait, le baiser qu'il m'avait donné, le sourire même dont il me gratifiait devaient apparaître comme des manifestations qui ne pouvaient être que d'amour, comme un signe certain que j'étais à nouveau en faveur. Et cela ne plaisait pas à la pauvre Harriet, trop encline à une jalousie enfantine.

— Eh bien, voilà une journée extrêmement réussie, déclara David d'un air satisfait. J'ai cru comprendre que la vente avait permis de réunir une somme importante. Quel dommage que je n'aie pu offrir quelques plantes rares, pour augmenter les bénéfices. Hélas ! le destin m'a privé des plus belles...

— Pas le destin ! coupa Harriet. Votre femme.

— Taisez-vous donc, cousine. Voilà qui n'est pas gentil. Vous savez que cette pauvre Aphra a perdu la tête — qu'elle l'avait perdue, en tout cas, hier soir. Sinon, aurait-elle pu se conduire de cette façon ? Elle n'était pas elle-même. Il nous faudra prendre grand soin d'elle, pour qu'elle n'ait jamais de rechutes, pour qu'elle ne soit plus victime d'égarements pareils.

Claudia tourna la tête vers lui et le considéra d'un regard étrange, que je ne pus déchiffrer. Révoltée, je rétorquai obstinément :

— J'ai agi avec lucidité. J'ai fracassé la vitre délibérément et je t'ai expliqué mes raisons. En tout état de cause, le mieux est d'oublier cette histoire. Si du moins on le peut.

— Je suis tout à fait d'accord avec toi, mon amour, dit David d'un ton qui signifiait on ne peut plus clairement qu'il ne faisait qu'obéir à mon caprice, se plier à ma fantaisie.

Son sourire mielleux provoqua en moi un sentiment de répulsion. Et tandis que je maîtrisais le frisson glacial qui me parcourait l'échine, je compris combien je haïssais l'homme à qui j'avais lié, imprudemment, ma destinée.

CHAPITRE X

Nous étions assis en silence devant notre petit déjeuner, le lendemain matin, David et moi, quand Red, armé d'un fusil, vint au Bois de l'abbé annoncer qu'un renard accomplissait des ravages au village et qu'un groupe de chasseurs, dont il était, avaient pris la décision d'en débarrasser le pays.

— Nous avons prévenu les cultivateurs, précisa-t-il. Ils tiendront leur bétail enfermé et monteront la garde jusqu'à ce que nous ayons attrapé le renard. J'en ai parlé à votre régisseur ; il rentre déjà ses bêtes.

— C'est moi que vous auriez dû consulter, dit sèchement David.

— C'est pour cela que je suis ici. C'est d'ailleurs à Claudia que je comptais m'adresser, puisque c'est à elle qu'appartient le Bois de l'abbé.

— Mais j'administre le domaine pour elle, ce qui fait de moi le maître ici. Pour le moment, elle s'occupe d'arranger des fleurs, avec Harriet. Je lui transmettrai votre message. Je ne vous retiens pas...

Je rougis de honte, devant ces façons discourtoises, mais Red parut plutôt s'en amuser. Il me jeta un bref regard.

— Si votre femme projette d'aller se promener, dit-il, mieux vaudrait qu'elle ne s'aventure pas dans la zone dangereuse.

David m'adressa un sourire charmant.

— As-tu l'intention d'aller te promener, mon amour, ou préfères-tu rejoindre Claudia et Harriet ?

La perspective de passer la matinée à arranger des fleurs avec Harriet et Claudia ne m'enthousiasmait guère.

— Une promenade dans les bois me fera du bien, répondis-je. Bien entendu, je ferai attention aux chasseurs...

— Parfait, approuva David. Et je te conseille aussi de bien te couvrir. Une toque en fourrure s'impose même par ce froid, ma chérie.

Sa voix était pleine de la sollicitude la plus tendre. L'époux le plus attentif n'eût pas fait mieux. Peut-être fut-ce pour cela que Red, qui avait été sur le point de dire quelque chose, se ravisa et prit congé.

Quand je descendis, je trouvai David dans le hall. Il s'approcha et m'embrassa.

— J'ai attendu pour m'assurer que tu avais écouté mes conseils, dit-il. Sachant comme tu oublies tout, je n'aurais pas été surpris de te voir mettre un manteau trop léger.

Il releva le col de fourrure de mon manteau autour de mon cou, le boutonna.

— Il faut que je prenne grand soin de toi, ma chérie. Tu m'es très précieuse.

Tous les hommes oscillaient-ils ainsi entre la fureur et la tendresse ? Ces revirements déconcertants me laissaient ahurie, incertaine. Mon père n'avait jamais été ainsi. Oh ! certes, il lui était arrivé de se mettre en colère, au théâtre. Mais ces éclats n'avaient été que des épisodes passagers. Les sautes d'humeur de David étaient différentes ; non seulement imprévisibles, mais incompréhensibles. Il passait de la cruauté à la passion, en l'espace de quelques minutes, sans raison apparente.

Combien de temps demeurait-il aimable ? Je me le demandais en me dirigeant vers les bois. Après avoir passé la matinée avec Conrad, il y avait des chances pour qu'il rentrât au château de très bonne humeur, à condition pour lui que le massacre se révélât aussi divertissant que d'habitude.

Parvenue à l'orée du bois, je regardai derrière moi. De cet endroit, je dominais l'ensemble du parc. Je ne vis ni mon mari ni l'aigle. Le ciel était vide.

En pénétrant dans l'épaisseur du bois, je frissonnai, malgré moi, et, pour surmonter cette impression pénible, je me lançai d'un bon pas, trébuchant un peu sur les racines des arbres, que je discernais mal. Au bout d'un moment, mes yeux commencèrent à s'accoutumer à la pénombre, et je distinguai un vague sentier — ce même sentier que nous avions pris, David et moi, le jour où j'étais arrivée pour la représentation des Baladins et où il m'avait fait les honneurs du domaine.

Soudain, une grosse brindille tomba d'une branche. Puis une autre. Je les vis choir devant moi, sur le sentier. Je levai la tête : les arbres étaient immobiles et leurs rameaux enchevêtrés ressemblaient à un voile funèbre qui plongeait le sous-bois dans une ombre épaisse.

J'entendis alors un bruit — un bruit très léger, comme un tintement très faible. Celui d'un grelot, qui me remplit d'horreur et qui expliquait la chute de ces rameaux, causée par le mouvement lent, impitoyable, d'ailes qui essayaient de se frayer un passage à travers le fouillis des branches.

Conrad me suivait...

Du coup, je m'arrachai à ma léthargie. Je partis en trébuchant, avançant frénétiquement dans le sous-bois, essayant de me trouver une cachette. Mes membres glacés se mouvaient comme dans un de ces cauchemars où l'on se traîne à pas lourds sans réussir à parvenir nulle part. Mon engourdissement ne me permettait pas de progresser réellement, et j'avais même du mal à respirer. Une terreur immonde s'emparait de moi, identique à celle à laquelle j'avais succombé dans la serre...

Et puis, dans un grand fracas, je m'effondrai. Je sentis le goût de la terre dans ma bouche et ma joue heurta violemment une racine pointue. J'étais tombée dans un trou...

Les buissons au-dessus de moi m'offraient une protection contre l'oiseau de proie qui me pourchassait, mais l'instinct me poussa à faire le mort, à éviter tout mouvement. J'essayai de me persuader que l'oiseau ne réussirait qu'à se prendre dans cette végétation inextricable s'il essayait de m'y atteindre. Pour tuer, l'aigle devait être libre de ses mouvements, libre de projeter ses serres redoutables. Mais la proximité de l'oiseau était en elle-même menaçante, et je n'avais aucune envie de tenter la Providence en risquant quelque geste imprudent.

Il me sembla qu'il s'écoula un temps très long avant qu'enfin cessât le tintement du grelot de Conrad : l'oiseau avait fini par se poser quelque part. Puis j'entendis un autre bruit étrange. Je levai la tête et regardai par une trouée dans le feuillage. Je le vis : l'aigle avait réussi à se poser dans une sorte de minuscule clairière. Il n'était qu'à quelques mètres de moi. Il déchirait de son bec et de ses serres une boule de fourrure, avec une rage folle.

Je compris alors qu'au cours de ma course effrénée sous le couvert des buissons, j'avais perdu mon bonnet de fourrure.

Comme moi, l'oiseau se sentait pris au piège de la forêt. Il cherchait à s'échapper. Je le vis monter, puis je l'entendis pousser comme un cri rauque : il s'était heurté à une branche. Il retomba à terre. Je vis ses serres gigantesques s'emparer à nouveau de mon bonnet de fourrure déjà déchiqueté et le lacérer dans un autre accès de fureur. Je restai tapie dans mon fourré, formant des vœux pour que l'oiseau trouvât enfin le moyen de s'envoler.

Le miracle se produisit : l'oiseau s'éleva, verticalement, droit vers une trouée dans les branches. Cette fois, il avait trouvé un endroit suffisamment dégagé pour lui permettre de s'échapper. Je n'avais plus qu'à attendre que son ombre disparût enfin. Je pourrais ensuite m'extirper de ce refuge providentiel, chercher une issue, sortir de ces bois sinistres.

L'ombre de l'aigle disparut, le bruit du grelot s'éloigna ; je m'extirpai de ma cachette, ignorant les ronces qui éraflaient mon visage.

Il ne me restait plus qu'à marcher droit devant moi !

Je me sentais plus calme car Conrad désormais devait être bien loin, planant très haut au-dessus de cet enchevêtrement de branches qui me rappelait avec tellement de force un autre fouillis végétal au milieu duquel j'avais bien cru ma dernière heure arrivée. Puisque j'étais parvenue à survivre à cet enfer torride, je parviendrais bien à survivre à ce nouveau cauchemar.

Soudain, à nouveau, je m'immobilisai.

Des branches craquaient sous le bruit d'un pas. Incapable de me retenir, je me mis à hurler ; l'inconnu, manifestement, se rapprochait.

— Qui est là ? criai-je.

L'écho renvoya mon cri affolé de tronc d'arbre en tronc d'arbre, comme s'il se moquait de moi. Puis le silence retomba.

Je tremblais de tout mon corps. Je pris sur moi pour avancer, fis un pas chancelant, puis un autre, un autre encore... Je fus surprise de voir que mes pieds trouvaient d'eux-mêmes le rythme de la fuite et accéléraient leur mouvement...

Et, tout à coup, je vis la lumière ! Le soleil ! Le ciel ! Je courus dans cette direction. Je sanglotais. Devant moi, la campagne s'étendait. J'aperçus le village, au loin. J'étais arrivée non pas du côté des jardins du Bois de l'abbé, mais à l'opposé. Peu importait. J'étais sortie de ce labyrinthe terrifiant, sortie de l'obscurité ; j'avais échappé au danger.

Je bénissais la chaleur du soleil, revenue sur mon visage — quand cette chaleur fut éclipsée soudain par une nouvelle ombre froide. Je levai la tête : là-haut, l'aigle planait, menaçant. Ma main monta vite à ma gorge, refoulant la peur — et toucha le col de fourrure de mon manteau.

Je me remémorai alors ma toque en fourrure lacérée par les serres impitoyables. Mon col en fourrure attirerait certainement tout autant l'oiseau de proie. Mais je n'avais pas le temps de me débarrasser du vêtement, pas le temps de défaire tous ces boutons. Je me mis à courir, consciente de ma totale impuissance. Le moment terrible était venu. L'oiseau n'aurait aucun mal à me trouver même dans un abri précaire. Il s'abattrait sur moi comme je l'avais vu s'écraser sur ses proies...

Et puis, l'explosion retentit. J'entendis le coup de feu, assourdissant. Je levai la tête et vis Red Deakon se profiler sur le ciel, une carabine fumante à la main. Au même moment, une silhouette surgit.

— Vous l'avez tué ! Mon Dieu, vous l'avez tué ! hurlait David.

Dans un élan, il s'agenouilla à côté de l'oiseau mort, et se mit à sangloter, sans un regard pour moi.

⁂

Je n'osais pas croire que David avait délibérément lancé Conrad sur moi, que c'était dans le but de me transformer en cible qu'il m'avait suggéré de porter de la fourrure et ce bonnet. Je n'osais rien croire de tout cela, car je n'avais pas de preuves. Surtout, je ne voyais pas quels motifs David pouvait avoir de vouloir ma mort. Un homme n'assassine pas sa femme simplement parce qu'il s'est lassé d'elle. En tout état de cause, David me rendait responsable de la mort de son aigle.

Comme châtiment, il semblait avoir choisi les délices de la torture mentale.

Je m'étais bien doutée qu'il allait jouer au chat et à la souris avec moi. Il excellait dans ce jeu qu'il variait à l'infini. Il avançait, battait en retraite, persiflait, tourmentait. Un jour, il se montrait souriant et tendre ; le lendemain, froid et réservé. Je ne savais jamais comment j'allais le trouver, de quelle humeur il serait, comment il réagirait à tout ce que je pourrais dire ou faire. Je ne savais jamais quand il s'en prendrait à moi, quand il me chercherait, quand il m'éviterait. Je soupçonnais également Harriet de m'épier pour le compte de son cousin, prête à lui rapporter tous mes gestes, tous mes propos.

Claudia observait, elle aussi. Son visage calme, indéchiffrable ne révélait rien, mais je voyais bien qu'elle ne cessait d'observer le manège de mon mari aussi bien que mes réactions.

Il avait pris l'habitude de passer la nuit dans une autre chambre, mais il continuait à utiliser son cabinet de toilette et il venait dans ma chambre chaque fois qu'il en avait envie. Il s'installait dans un fauteuil, à côté de la cheminée, vêtu d'une élégante robe de chambre de brocart et il restait là à boire du brandy. Faisant tourner lentement l'alcool dans son verre, d'une main nonchalante, tout en gardant les yeux fixés sur moi. Ce manège durait des heures.

D'autres soirs, il demeurait invisible. Je l'entendais remuer dans son cabinet de toilette. J'attendais, les nerfs à fleur de peau, prête à feindre une indifférence désinvolte si la porte s'ouvrait pour le laisser entrer, et poussais un soupir de soulagement quand je l'entendais entrer dans sa chambre.

En d'autres occasions, je me réveillais la nuit en sursaut et je voyais sa forme sombre penchée sur moi. Il me regardait, dans le noir, les yeux baissés sur moi.

— Tu as crié, disait-il. Tu faisais un cauchemar...

Je savais très bien qu'il n'en était rien et que je n'avais pris peur qu'une fois réveillée, en le voyant au-dessus de moi.

Des jours et des semaines passèrent ainsi, dans une tension éprouvante, qui ne se relâchait jamais. Je finissais par craindre de ne plus pouvoir être maîtresse de mes nerfs, de me traîner à ses pieds en le suppliant qu'il me soulageât de cette étrange torture.

Exténuée, je rêvais à la main secourable de Red Deakon. Mais il n'avait pas reparu au château depuis la mort de l'aigle. Non, la seule issue pour moi si je voulais survivre était la fuite...

Prête à saisir le moment opportun de m'évader à l'insu de tous, je préparai un bagage sommaire, utilisant pour cela la vieille valise de mon père que j'allai rechercher au fond d'un placard.

— Pourquoi préparez-vous cette valise ? entendis-je derrière moi.

Je sursautai : Claudia était debout sur le seuil, se tordant les mains avec une anxiété que je ne comprenais pas.

— Je vais partir, je n'en peux plus..., avouai-je piteusement.

Elle m'attrapa par le bras.

— Ecoutez-moi, Aphra ! Ne partez pas, je vous en prie ! Attendez un peu — quelques heures, c'est tout ce que je vous demande. Quelqu'un va venir. J'attendais son arrivée depuis longtemps. Cet homme doit débarquer à Folkestone vers midi, du bateau qui vient de Boulogne. J'ai envoyé une voiture le chercher, pour l'amener ici aussi vite que possible. Les choses iront mieux une fois qu'il sera là, je vous le promets. Je vous le promets, Aphra !

Son agitation commençait à me gagner.

— Est-ce pour cela que vous étiez montée ici ? demandai-je.

— Non. Je vous cherchais parce que Red Deakon est venu vous voir. Il attend dans le petit salon, et il a amené une de vos amies, Elizabeth Lorrimer.

Je laissai tomber la valise.

— Red Deakon ? Et vous dites qu'il a amené mademoiselle Lorrimer avec lui ?

— Oui. Cela m'a surprise, moi aussi. Vous feriez mieux de les voir avant le retour de David. Il était d'une humeur exécrable au petit déjeuner. Venez...

Je la suivis impatiemment. Quand je vis la grande silhouette de Red se profiler sur la fenêtre du petit salon, j'eus l'impression que, dans ce monde où tout chancelait autour de moi, il représentait la stabilité. Je m'immobilisai, sur le seuil de la pièce, à le regarder, et il me regarda sans bouger, lui aussi ; et je me demandais comment j'avais jamais pu le croire moqueur ou hostile.

— Seigneur ! s'écria Elizabeth en s'approchant de moi, mais vous avez encore plus mauvaise mine que la dernière fois ! Regardez-la donc, monsieur Deakon !

Red ne répondit pas. J'avais l'impression qu'il était tendu, que mon aspect l'avait choqué et mis en colère.

Il bougea enfin, s'approcha de moi et me prit par la main.

— Il y a quelque chose qu'il faut que vous sachiez, me dit-il, gentiment. Je suis allé à Londres, à Chelsea. Puis je suis monté à Nottingham voir mademoiselle Lorrimer, parce que je n'avais rien trouvé d'intéressant à l'église Saint-Sauveur...

— L'église Saint-Sauveur ? Celle où mes parents se sont mariés ?

— Non, ma chère, dit doucement Elizabeth.

— Mais, c'est vous-même qui me l'avez dit, pourtant ? Vous m'avez raconté qu'ils étaient allés là-bas échanger leurs vœux.

— Oui, justement. Echanger leurs vœux, ma chère. C'est tout. Je ne vous ai jamais dit que leur union avait été bénie par un prêtre. Mais je crois vraiment que ces vœux comptaient plus pour eux que ceux qu'on échange dans beaucoup de mariages officiels. Et ils se sont restés fidèles l'un à l'autre aussi longtemps qu'ils ont été ensemble, acte de mariage ou pas.

Je n'avais pas souvenir de m'être assise mais je me retrouvai sur un divan, avec Red à côté de moi.

— C'est drôle, j'avais toujours cru que vous saviez. Cela me paraissait aller de soi, précisa Elizabeth, embarrassée. D'ailleurs, je ne vois pas pourquoi monsieur Deakon s'est donné tant de mal pour mettre tout cela en lumière ; après tout, cela ne peut plus changer grand-chose pour vous, maintenant Aphra, puisqu'elle est désormais madame Hillyard, et qu'elle l'est devenue dans les formes, elle — bien qu'à voir sa mine, il ne semble pas que son mariage légal l'ait rendue bien heureuse...

— En effet, dit Red d'une voix dure.

Elizabeth reprit son boa de plumes d'autruche et le passa autour de son cou.

— Eh bien, voilà. Tout est dit, n'est-ce pas ? A mon avis, cela ne valait guère le temps que monsieur Deakon a passé à remuer toutes ces vieilles histoires. Heureusement, c'était relâche, aujourd'hui...

Elle m'embrassa chaleureusement. Voilà, ils allaient partir. Comment les retarder ? Comment persuader Red de m'emmener loin de cette maison ? Il s'était fait du souci pour moi, certes ; mais il tiendrait compte aussi des désirs de Claudia ; il ne voudrait lui causer aucune émotion.

Nous nous dirigions vers la porte quand on entendit un bruit de voiture, à l'extérieur. Je n'eus même pas la curiosité de regarder par la fenêtre. Il s'agissait certainement du visiteur attendu de Claudia.

La porte s'ouvrit en coup de vent. Harriet entra, trottinant à petits pas minuscules. Elle était saisissante, vêtue d'un kimono japonais, avec des chrysanthèmes dans ses cheveux. Quel personnage d'opérette s'imaginait-elle être maintenant ? Elizabeth, ahurie, fronça les sourcils et ouvrit de grands yeux.

Je vis Truman traverser le hall pour introduire le visiteur ; Claudia descendit précipitamment l'escalier, trop impatiente apparemment pour attendre son invité au salon.

J'étais pour ainsi dire prise au piège. Je ne pouvais ni m'enfuir ni lancer un appel à Red. Je battis en retraite dans le petit salon, espérant éviter toute rencontre. Le petit salon était situé à proximité d'un escalier de secours, qu'on ne voyait pas du hall. Si je me glissais hors de la pièce pendant qu'ils me tournaient le dos, je pourrais l'atteindre sans être vue. J'y réussis. Je montai en hâte cet escalier qui n'était guère utilisé que par les domestiques, puis je me dirigeai vers ma chambre. Je n'aurais qu'à y prendre ma valise, puis à m'échapper par l'aile est...

Mais, sur le seuil de ma chambre, je m'arrêtai net : le contenu de la vieille valise était éparpillé sur le parquet, comme si des mains furieuses l'avaient arraché, jeté. Je devinai immédiatement l'auteur de ce désordre.

J'étais en train de ramasser la précieuse broche de ma mère quand j'entendis sa voix derrière moi.

— Toujours ces idées de t'enfuir, douce Aphra ? Que de temps et d'efforts perdus ! Voyons, on te ramènerait immédiatement ici, tu le sais bien ! Je t'ai vue t'enfuir subrepticement du petit salon et j'ai deviné où tu allais. Alors, en mari attentif, je suis monté te chercher.

Il s'inclina de façon ironique et m'offrit son bras. J'ignorai son geste.

— Permets-moi de t'escorter jusqu'en bas, dit-il. Tout le monde attend. L'invité de ma sœur doit avoir faim, après son long voyage. Tu sais qui c'est, à propos ? Il s'agit du docteur Steiner. Un homme brillant. Professeur de neurologie à l'université de Vienne. Ma sœur s'est donné beaucoup de mal pour le faire venir ici spécialement afin de te confier à ses soins.

Je me détournai vivement — et aperçus Claudia qui attendait, sur le seuil de la chambre.

— Venez, Aphra ! dit-elle.

Je compris alors qu'ils étaient complices dans cette machination et que je n'avais plus aucun moyen de m'échapper.

Dès mon entrée au salon, j'eus le soulagement de constater que Red Deakon avait été convié à rester. Le Dr Steiner était un homme âgé, au regard perçant et au fort accent germanique. Redoutant ses questions, je m'installai à l'écart et affectai de m'intéresser à Harriet.

Harriet continuait à jouer les geishas, à battre de l'éventail et des cils, et à aller et venir dans le salon à petits pas minuscules. Son manège semblait susciter un intérêt poli chez le Dr Steiner. Claudia, patiente comme toujours pour les excentricités de sa malheureuse cousine, quant à elle, souriait de son éternel sourire indulgent. Mais brusquement, David éclata :

— Où avez-vous déniché ce costume, au nom du ciel, Harriet ?

— Mais, là-haut, au grenier. Je l'ai trouvé en cherchant les photographies, répondit-elle, triomphante.

— Des photographies ? fit vivement David. Quelles photographies ?

— Celles qu'Aphra voulait voir. Certaines, en tout cas. J'avais promis de les lui chercher. J'ai fouillé au grenier. C'est comme cela que je suis tombée sur ce charmant costume. On dirait qu'il a été fait pour moi, ne trouvez-vous pas ?

— Vous n'avez pas le droit de fureter ainsi partout dans le château ! fulmina David, irrité.

— Comment trouverais-je dans ce cas ce que vous avez caché ? répliqua Harriet, prête à piquer une colère enfantine.

Elle avait à nouveau dissimulé ses mains dans les larges manches de son kimono. Elle s'inclina très bas, puis elle tira les photos d'une de ses manches, d'un grand geste théâtral.

Red s'en empara avant que David eût eu le temps de s'élancer. Harriet se pencha sur l'épaule de Red. Elle dit vivement, de sa petite voix flûtée :

— Je sais qui c'est ! Je me souviens que Claudia nous l'a dit, un jour, avant que David vole ces photos et les enferme sous clé. Cet homme-là, c'est Jasper Bentine.

Je me penchai à mon tour pour regarder de plus près l'homme qui avait été l'amant de Claudia, l'homme qui avait tué son frère, ici, au Bois de l'abbé. Je restai pétrifiée.

L'homme qui était là, sur la photo, ressemblait à mon père !

J'aperçus Claudia — elle était très pâle. Le médecin m'observait aussi.

Harriet regardait David d'un air de défi, mais ce fut d'un ton geignard qu'elle s'en prit à lui.

— Vous mettez tout sous clé ! fit-elle, boudeuse. Vous me compliquez la vie à plaisir, décidément. Vous savez pourtant bien que je n'aime pas les pièces fermées à clé, les placards fermés à clé, les tiroirs fermés à clé. Vous m'obligez à me donner un mal fou pour ouvrir tout cela.

— Taisez-vous ! cria David, en s'approchant d'elle, menaçant.

De la large ceinture de son kimono, elle sortit le trophée final, un papier que David tenta immédiatement de lui arracher. Mais elle fut plus rapide que lui. Elle le brandit, dansant gaiement comme une enfant surexcitée.

— Vous ne l'aurez pas ! Vous ne l'aurez pas ! chantonnait-elle. D'ailleurs, je ne vois pas comment il est tombé entre vos mains. Il appartient à Aphra. Et, puisque vous avez été si mesquin avec moi, c'est à elle que je vais le donner ! Voilà !

Elle jeta le papier sur mes genoux. Red se mit debout d'un bond, repoussant David qui voulait se jeter sur lui. Mais j'avais à peine conscience de ce qui se passait autour de moi, car je venais de reconnaître l'écriture de mon père.

Je soussigné, Lawrence Sylvester Bentine, connu professionnellement sous le pseudonyme de Charles Coleman, fils aîné de feu Sir *William Bentine, du Bois de l'abbé, Kent, lègue par la présente à ma bien-aimée fille naturelle, Aphra Newton, connue à la scène sous le nom d'Aphra Coleman et née de mon très cher amour la défunte Petronella Newton, que j'ai toujours considérée et que je considérerai toujours comme ma seule véritable épouse, tous les biens, propriétés et terres qui seront en ma possession au moment de ma mort...*

Lentement, je relevai la tête. Je regardai Harriet.

— Vous m'aviez dit que c'était Lawrence Bentine qui avait été tué, dis-je.

— Vous ai-je dit cela ? Je ne me rappelle pas. Je savais que l'un des deux frères avait trouvé la mort, mais, naturellement, je n'étais pas là, à l'époque. Comment aurais-je pu savoir ?

Je regardai mon mari qui se débattait pour se libérer de l'emprise de Red. Il m'apparaissait maintenant sous un jour nouveau — dangereux, menaçant. Et, dans son visage, je lus toute l'histoire tragique de mon mariage. Je compris comment David avait tout machiné, avec une rigueur impitoyable. Et puis, je baissai à nouveau les yeux sur le testament, ce testament que David avait dû prendre dans le coffret de mon père pendant que je lui tournais le dos, dans le petit appartement de Pimlico.

... A Claudia Bentine, mon épouse aux yeux de la loi, je lègue pour sa vie durant le revenu déjà réservé pour elle au moment de notre mariage et les revenus des parties du Bois de l'abbé que je lui ai affectées quand nous nous sommes séparés par consentement mutuel le 25 juillet 1880, toute autre affectation éventuelle étant laissée à la discrétion de ma fille Aphra qui, en entrant en possession de son héritage, aura le droit de disposer de tout ou partie desdits domaines et biens dans la mesure où elle le voudra. Je forme des vœux pour que, au cas où cette malheureuse demeure assombrirait sa vie

comme elle a assombri la mienne, Aphra ait la sagesse de s'en débarrasser et de chercher le bonheur ailleurs, comme je l'ai fait.

Je me tournai vers Claudia.

— Harriet peut avoir commis une confusion, dis-je, mais pas vous. Vous m'avez dit être veuve, le jour où nous avons déjeuné sur la terrasse. Et pourtant, vous saviez que mon père était vivant.

— Votre père ?

— Lawrence Sylvester Bentine. David m'avait raconté, lui aussi, qu'il était mort, que Jasper l'avait tué.

Le saisissement de Claudia n'était pas feint. Elle semblait pétrifiée.

— Lawrence, votre père ? C'est impossible !

— Ce testament le confirme, et c'est probablement pour cela que mon mari m'avait dérobé ce document et l'avait caché. Honnêtement, vous n'aviez pas connaissance de ceci, Claudia ? David s'était caché, même de vous ?

— Un homme n'a pas à crier ces choses-là sur les toits ! s'écria mon mari. Les femmes veulent toujours tout savoir et ne savent se taire sur rien. Lâchez-moi donc, Deakon, vous me faites mal !

Il se mit à pleurnicher.

— Docteur, dites-lui qu'il me lâche !

Steiner intervint, d'une voix calme, amicale.

— Allons, monsieur Hillyard, vous avez

besoin de vous reposer. Votre sœur a été bien avisée de m'appeler. Elle était inquiète pour vous. Vous vous êtes surmené, me dit-elle. Je suis sûr qu'elle a raison, et je suis certain comme elle qu'un nouveau séjour prolongé à Vienne vous ferait grand bien. Vous pourriez naturellement y continuer vos études. Toute mon équipe sera à votre disposition...

A ces mots, le visage de David s'adoucit et prit une expression presque candide. Claudia le regarda tendrement.

— Pense à toi, David ! supplia-t-elle. Quelle chance pour toi que d'étudier sous l'égide d'un homme aussi éminent que le docteur Steiner ! Chacun sait comme tu es intelligent. Pense à cette occasion qui t'est offerte !

— Tu as raison, comme toujours, ma chère sœur, dit David, content de lui. Très bien, docteur, j'accepte donc votre invitation. Je vais dire à Truman de préparer immédiatement mes bagages. Quand pourrons-nous partir ?

— Dès que vous voudrez.

Je vis le médecin faire un clin d'œil à Red, qui relâcha lentement sa prise. Mon mari rajusta son veston et se recoiffa d'un geste gracieux de sa main blanche. Il nous regarda tout en souriant, avec un mélange de dédain et de triomphe.

— Je vais immédiatement rassembler quelques affaires, dit-il.

— Je vais t'aider, si tu veux..., s'empressa Claudia.

— Non inutile. Il ne me faudra que quelques instants.

Il sortit du salon, très calmement, mais nous attendîmes vainement son retour.

On retrouva son corps sur la terrasse ! Il était tombé par la fenêtre du premier étage — fenêtre dont le balcon n'avait pas encore été scellé.

CHAPITRE XI

Claudia et moi, marchions lentement dans les jardins. Respectant son chagrin, je la laissai parler, lui épargnant les questions que me brûlaient les lèvres.

— David était le plus adorable petit garçon qu'on pût imaginer, me confia-t-elle. J'avais dix ans, quand il est né. Notre mère est morte peu après sa naissance, et mon père incapable de surmonter son chagrin, l'a suivie dans la tombe, peu après. Alors, David est devenu le centre de ma vie. Il était un enfant tellement adorable ! jusqu'au jour où...

J'attendis puis, la voyant silencieuse, j'insistai, gentiment :

— Jusqu'au jour ?

— Jusqu'au jour où il s'est mis à faire des choses qui m'ont effrayée, des choses cruelles, à des animaux, et même à des gens. Il se plaisait à torturer par exemple les domestiques. Alors, j'ai dû reconnaître, dans son comportement, les symptômes d'une maladie mentale. J'ai fait appel au médecin de famille. Il a envoyé David dans des institutions spécialisées. Mon frère n'en est sorti qu'il y a une dizaine d'années — on le considérait comme assez bien rééduqué pour tenir sa place dans la société. Je l'ai amené au Bois de l'abbé... Vous connaissez, la suite.

Elle me regardait d'un air compatissant, mais un peu coupable aussi.

— J'ai beaucoup à me faire pardonner, reprit-elle. Je vous ai causé bien des souffrances à vous et à votre père, et je ne méritais pas son pardon plus que je ne mérite le vôtre. Je n'aurais pas dû me contenter d'essayer de vous dissuader d'épouser mon frère. J'avais connaissance d'un motif grave d'empêchement : j'aurais pu, j'aurais dû empêcher ce mariage. Je ne l'ai pas fait parce que, comme toujours, j'ai fait passer le bonheur de mon frère avant tout. Je me suis conduite de façon égoïste envers votre père. Voyez-vous je ne l'aimais pas quand je l'ai épousé. Pour moi il était uniquement un beau parti. Nous avions fort peu de points communs. Lawrence passait beaucoup de temps à lire. Moi, je trouvais que la lecture était une perte de temps et la bibliothèque me paraissait la pièce la plus ennuyeuse de la maison. Lawrence détestait les réceptions, ce qu'il appelait « les grandes mondanités artificielles », alors que j'adorais recevoir. Il s'intéressait à la littérature, à la peinture, à l'art dramatique. Tout ce temps passé à se costumer, à se grimer, à apprendre des vers... cela me semblait bien sot. Et puis, il détestait le Bois de l'abbé. C'est quelque chose que je n'ai jamais pu comprendre. Il aurait été plus heureux dans un cottage, disait-il, et je crois que c'était vrai. Mais il est resté ici, pour l'amour de son père, jusqu'au moment où Jasper a terminé ses études à Cambridge et est revenu au Bois de l'abbé.

— Et vous êtes tombée amoureuse de Jasper... Quand ?

— Très vite. Il était tout ce que Lawrence n'était pas — un cavalier fougueux, un excellent chasseur, un homme qui jouissait de tout et de rien, du moment qu'il ne s'agissait pas de plaisirs intellectuels. Il détestait les productions théâtrales de Lawrence, mais, comme il aimait être le centre de l'attention générale, il y participait tout de même. Au fond, Lawrence était content que Jasper soit revenu pour prendre le domaine en charge.

— Etait-il au courant, pour Jasper et vous ?

— Il l'avait deviné. Il est possible que ç'ait été l'élément déterminant, celui qui a précipité sa décision de partir. Il nous laisserait tranquilles tous les deux, disait-il, et saisirait sa chance de mener l'existence dont il avait envie. Il avait le vague projet d'aller à Paris ou à Florence, étudier la peinture. Mais le sort n'en a pas voulu ainsi, puisque Jasper est mort un mois avant le jour que Lawrence s'était fixé pour partir. La mort de Jasper m'a laissée aigrie pendant des années. Et quand Lawrence m'a demandé le divorce, je le lui ai refusé. Pourtant, il s'était bien agi d'un accident, et personne n'en avait plus souffert que Lawrence lui-même.

— Alors mon père ne s'est pas enfui, comme votre frère le prétendait ?

— David vous a dit cela ? fit-elle, avec un sourire triste. Vous savez maintenant que l'on ne pouvait attacher aucun crédit à ce que racontait David, pas plus qu'à ce que raconte Harriet. Je vous avais prévenue qu'elle confondait tout, souvent.

— Lorsqu'elle a confondu Lawrence et Jasper, par exemple ?

— Oui. Je dois dire que les deux frères se ressemblaient de façon extraordinaire, physiquement. Lawrence avait pris la décision de partir, avant le drame. On peut dire qu'il est sorti de mon existence pour de bon. Il n'a même jamais revendiqué un sou des revenus du Bois de l'abbé, parce qu'il voulait s'affranchir absolument de tout ce qui aurait pu lui rappeler son existence d'autrefois. Je restais donc ainsi, ni épouse ni veuve ; mais, quand les gens ont commencé à me considérer comme une veuve, peu à peu, je les ai laissés dire. Je n'ai dit la vérité qu'à un homme...

Red Deakon, pensai-je. Red avait su, toujours.

— Red n'avait que dix ans au moment de la mort de Jasper, mais il se rappelait tout ce qu'on avait raconté à cette époque. Pendant toutes ces années, il m'a fait don de son amitié, m'a épaulée en particulier depuis que j'ai installé mon frère ici et que j'ai entrepris de m'occuper moi-même de lui. Par la suite, quand ma tante du Yorkshire est morte et que j'ai appris qu'Harriet était pensionnaire dans une maison de santé, à Bristol, je l'ai amenée ici, elle aussi. Red me disait souvent que j'assumais une tâche trop lourde. A sa façon très personnelle, il était le meilleur des amis mais — vous le connaissez — il ne m'a jamais caché ce qu'il pensait. Il ne m'a pas épargnée, je vous assure, quand j'ai laissé David vous épouser. J'ai cru un moment qu'il ne m'adresserait plus jamais la parole.

Il était en colère, à cause de vous, bien sûr. Je lui ai fait valoir que c'était un assez beau mariage, pour vous...

— Je sais.

— J'espérais aussi... je formais des vœux, en tout cas, pour que ce mariage soit le salut de David. Bien sûr, je me suis vite rendu compte que je méritais terriblement d'être blâmée quand j'ai compris que David vous harcelait pour vous faire croire que vous perdiez la raison. Ce n'est que maintenant que je comprends ce qu'il y avait en réalité derrière tout cela : on ne pouvait pas permettre à une femme mentalement déséquilibrée de s'occuper elle-même de ses affaires, de son argent. C'est pour cela qu'il cachait le testament. Il attendait le moment où vos nerfs vous auraient lâchée. Mais, quand j'ai écrit à Carl Steiner, je ne soupçonnais nullement les vrais motifs de David. L'incident de la serre, lui-même, pouvait n'avoir rien été d'autre que ce qu'il affirmait — une crise nerveuse, de votre part, un moment d'affolement. Mais cette torture mentale, ce harcèlement, c'étaient des symptômes que j'avais déjà vus. Comme auparavant, il n'y avait qu'une seule action possible.

— Vous étiez décidée à ne pas me laisser quitter le Bois de l'abbé, tout de même ?

— Parce que j'avais peur de ce qui se passerait si vous essayiez de partir. Si David se sentait défié, plus rien ne l'arrêterait. Vous aurez peut-être du mal à le croire, mais, à ce moment-là, c'était à vous que je pensais.

Enfin tout cela était du passé. David était mort, emportant ses secrets avec lui. Je n'osai demander à Claudia si elle soupçonnait son frère d'avoir empoisonné mon père. Il n'était pas exclu en effet que David, féru en toxicologie comme il l'était, eût versé un poison indélébile dans le vin qu'il lui avait offert.

Claudia m'arracha soudain à mes sombres pensées :

— Ah ! voici Red qui vient à notre rencontre... Il est venu tous les jours, depuis...

— Vous avez un bon ami en lui, dis-je.

— Oui. Je suis assurée de sa compréhension et de sa sympathie. Mais il n'y a jamais rien eu d'autre entre nous. Vous n'allez pas à sa rencontre ? C'est vous, en réalité, qu'il vient voir. Les balcons n'étaient qu'un prétexte.

J'avais du mal à maîtriser mon impatience. Je m'apprêtais à courir vers Red, quand Claudia me retint :

— Aphra, je quitterai le Bois de l'abbé dès que vous le désirerez. Je suis prête. Après tout, la propriété vous appartient. Je n'ai aucun droit d'y rester.

— Ce droit, je vous le donne ! m'écriai-je en m'éloignant.

Je courus à la rencontre de Red Deakon. Il prit mes mains dans les siennes.

— J'ai la dernière pièce du puzzle, dit-il, et je suis venu vous la donner. Elle me vient d'un pasteur dont la paroisse est proche de Canterbury. C'est un homme qui a la passion des vieux papiers. Il a fouillé les archives de sa région. Quand l'industrie du tissage s'est effondrée, dans le Kent, une branche de la famille Newton a émigré au Canada. Des années plus tard, un descendant de ces émigrés est retourné au village de ses ancêtres. C'était un protestant, et il avait été ordonné. Il s'est marié et a obtenu la cure de cette paroisse dont il est resté longtemps le pasteur. Il a eu une fille unique, une certaine Petronella...

— ... qui s'est enfuie de la maison paternelle pour suivre un homme marié, un acteur, se mettant ainsi au ban de la société. Et ses parents bien pensants n'ont plus jamais voulu la voir ?

Red acquiesça.

— Le pasteur a ressenti si vivement la honte que sa fille avait jetée sur les siens qu'il s'est hâté de demander une autre cure. Quelques mois plus tard, il est parti, très loin. Mais, dans la petite église dont il avait été le pasteur, il reste une plaque tombale, celle d'Aphra Newton, sa femme.

— Ainsi donc, c'est en souvenir d'elle que ma mère m'a donné ce prénom.

— Elle n'aurait pu mieux choisir. Mais le chapitre n'est pas terminé, Aphra. Il devrait se terminer là où il a commencé, dans ma maison, à l'endroit où les fondateurs de la famille Newton ont vécu, autrefois. Je crois qu'il serait convenable et satisfaisant que leur seule descendante y retourne.

Il me prit le visage dans ses deux mains.

— Quand vous serez prête à venir à moi, mon amour, mon grand amour, je saurai vous montrer, je l'espère, ce que doit être un véritable mariage.

Je pouvais à peine parler, tant mon bonheur était grand.

— Je vous ferai savoir quand ce moment viendra, balbutiai-je.

Dans les semaines qui suivirent, je consultai des hommes de loi, donnai des instructions pour céder la propriété du Bois de l'abbé à Claudia, ne me réservant que certaines choses qui, m'avait dit Truman, avaient appartenu à mon père, autrefois. J'offris au maître d'hôtel un cadeau symbolique : la vieille valise de cuir de mon père.

— Vous vous rappelez avoir préparé ce bagage pour mon père, quand il est parti, n'est-ce pas, Truman ? lui demandai-je alors. C'est pour cela que vous regardiez cette valise de si près, le jour où il est revenu ?

— Je cherchais les initiales de monsieur Lawrence, madame. Elles avaient été brodées dans la doublure. Mais celle-ci avait été retirée. Et puis, je me suis dit : « Non, ça n'est pas possible ! Cela ne se peut pas... »

Sa voix se brisa. Je déposai un baiser rapide sur sa joue parcheminée. Celle vieille valise n'était pas un bien beau cadeau, mais elle représentait beaucoup pour Truman. D'ailleurs, je ne lui en avais rien dit, mais j'avais pris des dispositions généreuses pour lui, comme pour d'autres : Barney et sa femme Mabel ; les Baladins qui avaient grand besoin d'un théâtre à eux ; Elizabeth, aussi, parce qu'elle avait été présente quand ma mère et mon père avaient échangé leurs vœux de mariage, dans la maison de Dieu, sinon devant un prêtre.

— Vous savez, ma chérie, me dit-elle, je m'étais souvent demandé pourquoi vos parents ne s'étaient pas mariés en bonne et due forme ; je me demandais si Petronella n'avait pas déjà un mari quelque part, ou lui une femme ; mais, bien sûr, je n'ai jamais posé de questions. Vous savez comme on vit, au théâtre... Pauvre Charles, la troupe l'aurait lynché s'il avait refusé d'aller au Bois de l'abbé, mais la tension que cette représentation a fait peser sur lui a dû être terrible... Excusez-moi, ma chère, je ne devrais pas toujours vous rappeler votre père... Avant que nous nous quittions, ma chère Aphra, dites-moi... Une chose encore, seulement. Que comptez-vous faire, maintenant ?

— Ce que mon père a fait, précisément : chercher le bonheur ailleurs.

Je l'ai trouvé, non loin du Bois de l'abbé, auprès de Red Deakon, dans la maison que ses ancêtres ont bâtie, il y a bien longtemps de cela, à l'emplacement même du domaine qui avait été le berceau de ma propre famille.

FIN

Achevé d'imprimer
le 12 juin 1981
sur les presses
de l'imprimerie Cino del Duca,
18, rue de Folin, à Biarritz.
N° 208.

Dépôt légal n° 419. 3e trimestre 1981.